MINUTOS
DE
SABEDORIA

C. TORRES PASTORINO

MINUTOS DE SABEDORIA

45ª Edição

Petrópolis

SMPW – Quadra 3 – Conj. 3 –
Casa 5
Park Way
71735-030 Brasília, DF

Direitos de Publicação:
1982, Editora Vozes Ltda.
Rua Frei Luís, 100
25689-900 Petrópolis, RJ
www.vozes.com.br
Brasil

Capa: 2 estúdio gráfico

AOS MEUS FILHOS
LUIZ PAULO
CARLOS JULIANO
VERA CHRISTIANA

CARLOS TORRES PASTORINO

A obra que apresentamos nada tem de original.

A Sabedoria Eterna é patrimônio da Humanidade que busca elevar-se moral, intelectual e espiritualmente.

Respingando aqui e ali, reunimos esses pequenos trechos, que durante anos foram apresentados, nas diversas horas do dia, através do microfone da Rádio Copacabana, do Rio de Janeiro.

Muitas pessoas pedem-nos cópias desses pensamentos. E a tal número ascenderam os pedidos nesse sentido, que julgamos melhor apresentá-los enfeixados num livro, para aproveitamento dos que o desejarem.

Não é livro, tampouco, para ser lido de jato: é para ser conservado à mão, e aberto nos momentos de depressão, a fim de aí buscar um pouco de lenitivo ao espírito perturbado.

Podemos dizer isso sem vaidade, porque (já o afirmamos acima) os pensamentos que aqui se encontram reunidos provêm das mais variadas fontes, tendo de nosso apenas a apresentação.

Possa esta pequenina obra fazer bem a uma pessoa que seja, e teremos como bem empregado o tempo despendido em sua confecção.

Rio, 4/11/1960

Carlos Torres Pastorino

PREFÁCIO

É com a nossa alma transbordante de satisfação que fazemos o prefácio deste valioso livro, todo ele repassado de ternura e luminosidade.

Minutos de Sabedoria se nos apresenta como gotas de orvalho a cair em nossas almas ressequidas e ardentes pelo calor das ilusões e dos enganos da Terra.

Nosso verdadeiro destino é a Sabedoria.

Todos nós caminhamos para ela, quer por nossa própria conta, quer, como geralmente acontece, impulsionados pela dor.

Minutos de Sabedoria é um desses convites amáveis e serenos para a redentora caminhada.

Leiamos essas páginas com alma. É vida para a nossa verdadeira vida, que é a vida eterna do espírito.

Todos os nossos minutos são sempre, de alguma forma, minutos de sabedoria. Realmente, a cada instante, em meio de nossa inconsciência ou de nossa alucinação, recebemos a impressão tantas vezes dolorosa, mas sempre benéfica, da luz que nos aperfeiçoa.

Bebamos em *Minutos de Sabedoria* essa mesma luz em forma de néctar suave e divinal.

Todos nós almejamos a felicidade.

Buscam-na uns simplesmente no prazer material, mas caem logo no despenhadeiro da decepção.

Verdadeiramente só na Sabedoria haveremos de encontrar a felicidade eterna e real.

Recebamos *Minutos de Sabedoria* com gratidão, pois são também centelhas de luz a cair dos céus para iluminar nossa vida.

São ensinamentos sublimes que pouco a pouco irão contribuindo para a elaboração de um novo mundo mais pacífico e mais humano.

O Prof. Pastorino, que já tem sido o instrumento valioso de tantos trabalhos sublimes, é novamente o canal por onde nos chegam mais estas dádivas.

Louvemos a Deus por essas torrentes de graças e ensinamentos e roguemos as condições necessárias para, em nossa inferioridade, podermos ir absorvendo essas emanações luminosas, que nos vêm através de tantas obras esplêndidas, como *Minutos de Sabedoria.*

Luiz George de Oliveira Bello

1

NÃO critique!

Procure antes colaborar com todos, sem fazer críticas.

A crítica fere, e ninguém gosta de ser ferido.

E a criatura que gosta de criticar, aos poucos, se vê isolada de todos.

Se vir alguma coisa errada, fale com amor e carinho, procurando ajudar.

Mas, sobretudo, procure corrigir os outros, através de *seu próprio exemplo*.

2

DEUS está em toda a parte ao mesmo tempo, em redor de você, dentro de você!

Jamais você está desamparado.

Nunca está só.

Não permita que a mágoa o perturbe: procure manter-se calmo, para ouvir a voz silenciosa de Deus dentro de você.

Assim, poderá superar todas as dificuldades que aparecerem em seu caminho, e há de descobrir a Verdade que existe em todas as coisas e pessoas.

3

LEMBRE-SE de que colheremos, infalivelmente, aquilo que houvermos semeado.

Se estamos sofrendo, é porque estamos colhendo os frutos amargos das sementeiras errôneas do passado.

Fique alerta quanto ao momento presente!

Plante apenas sementes de otimismo e de amor, para colher amanhã os frutos doces da alegria e da felicidade.

Cada um colhe, exatamente, aquilo que plantou.

NÃO deixe que a calúnia o perturbe!

Todos nós estamos sujeitos à calúnia.

Mas saiba superá-la, vivendo de tal maneira que o caluniador não tenha razão.

Não revide um ataque com outro ataque.

Não se magoe com o caluniador.

Perdoe sempre.

Apenas viva de tal maneira, que jamais o caluniador tenha razão.

5

OS conselhos ajudam, não há dúvida...

Mas não se esqueça de que a solução de nossos problemas está dentro de nós mesmos, na voz silenciosa de nossa consciência, que é a voz de Deus dentro de nós.

Não se deixe enganar: só você será o responsável pelo caminho que escolher.

Ninguém poderá prestar contas por você.

Procure, portanto, viver acertadamente, de acordo com sua consciência.

6

RESOLVA seu problema!

Há muito tempo você se propõe reformar sua vida, melhorar seus atos, cessar definitivamente suas fraquezas.

Vamos, então, começar a partir deste momento!

Não deixe para amanhã o que pode fazer hoje...

Decerto você não há de resolvê-lo do dia para a noite.

Mas, comece já!

E se cair de novo, não desanime: saiba recomeçar quantas vezes for preciso!

7

EMBORA sozinho, continue a caminhada!

Se todos os abandonarem, prossiga sua jornada.

Se as trevas crescerem em seu redor, mais uma razão para que você mantenha acesa a pequenina chama de sua fé.

Não deixe que sua luz se apague, para que você mesmo não fique em trevas.

Ilumine, com sua luz, as trevas que o circundam.

8

CADA um de nós é responsável por seus atos.

Por que vai desanimar, pelo que os outros fizeram a você?

Que tem você que ver com isso?

Siga em frente, ainda que o mundo inteiro esteja contra você.

Você há de vencer, mesmo que fique sozinho.

Continue sem desânimo, porque você é o único responsável por seus atos.

NOSSA mente está mergulhada na Mente Divina que sustenta os universos infinitos.

Nossa força mental permanece impregnada da Força Mental Divina, que está em toda a parte ao mesmo tempo.

Procure manter-se unido a essa Força Infinita, e jamais será derrotado.

Você tem esse poder: confie!

Você vencerá em toda a linha, se o quiser.

10

MODIFIQUE seu modo de pensar, para que sua saúde se firme e estabeleça.

Para que queixar-se de doenças!

A doença é aumentada pela nossa emissão mental negativa.

Expulse a enfermidade, confiando em sua cura!

Você pode curar-se!

Você está melhorando cada dia mais, sob todos os pontos de vista.

11

APRENDA a repousar sua mente.

A mente cansada não pode pensar direito.

Repouse a mente, fazendo o exercício da Higiene Mental, para conquistar cada vez maior energia e vigor.

O cérebro cansado turva o pensamento.

E o pensamento é a maior força criadora que existe sobre a terra.

Repouse o cérebro, para pensar com acerto e alegria.

12

NÃO aceite maus conselhos!

Não se deixe sugestionar por palavras de desânimo!

Sempre existe uma saída para qualquer problema, por mais complexo e difícil que nos pareça.

A Força Divina que rege os universos está dentro de nós.

Ligue-se ao Pensamento Universal de Bondade e Amor, e vencerá todos os obstáculos.

13

PENSE positivamente!

Nossos pensamentos emitem ondas reais que se irradiam de nosso cérebro, formando uma atmosfera mental que é peculiar a cada pessoa.

De acordo com o tipo de vibração do *pensamento*, atrairemos a nós todas as ondas semelhantes.

Se você pensar negativamente, atrairá todos os pensamentos negativos, piorando seu estado.

Pense positivamente, para atrair apenas pensamentos positivos de paz e prosperidade.

MANTENHA uma atitude vitoriosa!

Quando você olha para uma pessoa curvada e triste, perde a confiança, porque verifica que está abatida e preparada para uma derrota.

Não deixe que ninguém pense isso a seu respeito!

Mantenha-se de cabeça erguida, confiante e risonho, e todos confiarão em você.

Irradie força e entusiasmo até por meio da atitude de seu corpo.

15

NÃO esteja ansioso e preocupado, para não atrair moléstias para seu corpo.

A ansiedade é um fator bioquímico, que influencia as secreções glandulares, produzindo demasiada adren*alina*, que estimula em exagero o sistema nervoso.

Daí à enfermidade é um passo.

O nervosismo prejudica fundamentalmente a saúde.

Portanto, não seja ansioso: faça constantemente afirmações positivas de saúde, e mantenha-se calmo e sereno.

VOCÊ jamais está abandonado!

Absolutamente!

O Pai não abandona ninguém.

Ele veste de plumas multicoloridas as pequeninas aves, enfeita de beleza e perfume as flores e não deixa morrer de fome nem os insetos nem os pequeninos vermes.

Esteja certo: não cai um fio de cabelo de sua cabeça, sem que Ele o permita.

Confie no Pai!

Você jamais está abandonado!

17

AFASTE de si o veneno da lisonja.

Não creia naqueles que o elogiam sem motivo.

Prefira ouvir uma crítica honesta, a um galanteio vazio.

A crítica aos nossos atos poderá trazer-nos o alerta de que necessitamos para corrigir-nos.

O elogio fácil nos amolece e ilude.

E nada existe de mais frágil que uma criatura iludida a seu próprio respeito.

18

SEJA o mesmo, dentro e fora do lar.

O lar é a sociedade em miniatura!

A sociedade é o lar ampliado.

Num e noutra, seja o mesmo: firme em sua palavra, seguro em seu pensamento, honesto em seus atos, calmo na confiança em si mesmo.

O homem é o que é.

E a manifestação externa reflete o estado íntimo de nossa alma.

19

SEJA atencioso e compreensivo.

Quantas vezes a pessoa que vem falar com você traz problemas recônditos, escondidos no âmago da alma!

Mantenha-se sereno, você que já vislumbrou a luz do entendimento fraterno.

Conserve seu equilíbrio, quando alguém se apresenta perturbado.

Seja atencioso e compreensivo: o mundo está repleto de enfermos, e você tem saúde moral.

NÃO procure evidência pessoal.

Reflita que, quanto mais exposto à visão alheia, mais se tornará alvo de ciúme e inveja.

As vibrações negativas, mesmo que não lhe façam mal, positivamente, poderão cansá-lo, no trabalho de defender-se.

Procure agir discretamente, embora com firmeza, deixando que os vaidosos e vazios se exponham numa evidência de que você, certamente, não necessita para brilhar.

O vidro comum brilha muito ao sol, mas o brilho do outro está escondido no cofre: nem por isso valerá menos que o vidro...

21

EVITE o luxo supérfluo.

Tudo o que sobrecarrega o ambiente atrapalha a vida.

Seja sóbrio e natural.

O artificialismo distorce e causa fadigas inúteis.

A sobriedade repousa o espírito e o corpo.

Seja sóbrio e natural em tudo, desde a sua pessoa, até o mobiliário de sua casa.

Quem pouco tem é que procura mostrar mais do que possui.

CUMPRIMENTE a seus amigos com alegria.

Muitas vezes, uma simples saudação alegre e espontânea conquista um coração e consola uma dor.

A saudação triste e acabrunhada pode instilar veneno num coração alegre.

Derrama alegria e bondade, ao encontrar uma pessoa conhecida, e já terá conquistado os benefícios de uma boa ação meritória.

Que seus amigos sintam o calor de seu coração afetuoso no simples cumprimento alegre.

TRATE com afabilidade a todos.

O vizinho que senta a seu lado na condução não é seu inimigo, nem seu concorrente.

Trata-se, sempre, de seu irmão, a quem você precisa acolher com simpatia.

Não procure brigar com ele, para conquistar maior conforto: dê você mais conforto a ele.

Mesmo insensivelmente, você receberá de volta as vibrações de gratidão de seu coração.

SE alguém queixar-se da vida a seu lado, responda com palavras de encorajamento.

Não aumente o peso a quem já sente demasiado o peso que carrega.

Se alguém se lamenta da vida, procure mostrar os lados bons e belos da existência.

Não contribua com suas próprias lamentações para o desânimo do companheiro.

Reanime-o com esperança e com bom ânimo, com palavras de incentivo e coragem.

Talvez desse remédio dependa a cura de seu coração desalentado.

25

DESPERTE!

Não deixe que a rotina arrase sua vida!

Execute sua tarefa com amor sempre renovado, porque isto trará alegria a você mesmo.

A rotina cansa e corrói a alma, desalenta e carcome o entusiasmo.

Renove a cada manhã seu armazenamento de alegria de viver.

Ajude a todos e cumpra alegremente sua tarefa, para receber de volta o benefício da felicidade de seu trabalho.

AFASTE-SE dos ambientes malsãos.

Evite as pessoas mal intencionadas.

No entanto, se sua presença puder melhorar, sem que com isto sofra sua alma, leve sua virtude mesmo ao antro do vício.

Mas faça como o sol, que ilumina e saneia o pântano, sem que seu raio de luz e calor dali se afaste enlameado e fétido.

Seja você o espelho vivo de sua fé.

NÃO condene os que estão em posição de destaque na política ou na administração pública.

Não diga que no lugar deles faria melhor.

Enquanto não pusermos em ação real nossas forças, não temos certeza do que são capazes.

Talvez você fizesse pior, se estivesse na posição deles.

Procure desculpar, porque não conhecemos as circunstâncias em que se encontram aqueles que têm sobre seus ombros o grande peso da responsabilidade pública.

VISITE os pobres e enfermos.

Pelo menos uma vez por semana dedique algumas horas a consolar um coração aflito.

O consolo que você levar, mesmo com sacrifício de sua parte, é a garantia de que está cumprindo um dever de cristão e de homem.

Não espere que o procurem, para agir fraternalmente, amparando os fracos e confortando os tristes.

Nem pense que você está dando mais do que recebe: quem consola um coração triste, na realidade recebe muito mais do que dá.

ELEVE seu coração em prece!

Mas evite recitar fórmulas lidas ou decoradas.

Que de seu coração partam as palavras espontâneas, como você faz quando conversa com um amigo querido.

Prece não é obrigação que alguém desempenhe para "ver-se livre de um peso".

Ore fervorosamente, mas sentindo as palavras que profere, para que a ligação com as Entidades angélicas seja efetiva e real.

Faça da oração um hábito indispensável à saúde espiritual.

NÃO transforme sua prece em peditório insistente!

"O Pai sabe aquilo de que necessitamos, mesmo antes de pedirmos."

Quando quiser alguma coisa para si, peça-o também para os outros, para todos os que estiverem nas mesmas condições.

No momento da prece, evite o egoísmo.

A prece é a melhor ocasião de demonstrarmos nosso amor.

E pedindo para todos, com amor, seremos os primeiros a receber o benefício.

Quem acende uma luz, é o primeiro a iluminar-se.

VEJA, na criança, o futuro da humanidade.

Mantenha-se, por isso, solidário com os trabalhos que visem a beneficiá-las.

Lembre-se de que cada criança poderia ser um filho querido de seu coração.

Colabore na recuperação das crianças desajustadas, sobretudo mediante seu exemplo dignificante e nobre.

Em todos os setores, a criança é sempre o futuro, e por isso precisa ser atentamente ajudada em suas necessidades.

ACATE com respeito todas as religiões.

Cada homem tem o direito de escolher o caminho que prefere.

Respeite a liberdade de crença dos outros, tanto quanto aprecia que respeitem a sua.

Não discuta nem procure tirar ninguém do caminho em que se acha, a não ser que seja procurado para isso.

Respeite, para ser respeitado.

33

NÃO se impressione com seus sonhos!

Isto poderia levá-lo a extravagâncias ridículas.

Viva acordado no bem, e os sonhos serão belos e bons.

Se alguma característica de verdade lhe for revelada num sonho, aceite-a com simplicidade.

Mas não se deixe levar a interpretações supersticiosas.

Procure sempre o lado bom das coisas.

COOPERE com sua pátria, para engrandecer-se a si mesmo.

A pátria é a reunião de todos nós.

No entanto, evite buscar apenas vantagens pessoais, pois aquilo que você retirar a mais para você estará prejudicando a outrem, que receberá a menos.

Qualquer função é útil à comunidade, e o bem da coletividade se distribui a todos os cidadãos.

Não abuse de seus privilégios.

35

AJUDE à Natureza!

Não destrua os bens que a natureza coloca a seu dispor, para ajudá-lo a progredir.

Coopere com as árvores, porque elas cooperam com a sua vida, na purificação do ar que você *respira*.

Colabore com a pureza das fontes, porque elas lhe fornecem água para dessedentar seu corpo.

Auxilie o solo a produzir, para que o pão seja sempre farto na mesa de todos.

Ajude à Natureza!

NÃO maltrate os animais!

São também filhos de Deus e irmãos nossos menores, que não adquiriram a faculdade do raciocínio abstrato.

Mas são amigos que precisam de nossa ajuda e carinho.

Não lhes imponha trabalhos demais. Alimente-os bem. Trate-os em suas enfermidades.

Faça com essas criaturas de Deus, que dependem de você, o mesmo que você gosta de receber dos Anjos do Bem.

POR que está guardando tantas coisas inúteis?

Para que tanta coisa em seus armários, quando seus irmãos estão com os deles vazios?

Distribua tudo aquilo que lhe não está servindo, para que sua alma não fique pesada demais, quando se afastar da terra.

"O coração do homem está onde está seu tesouro."

Se você juntar muitas coisas inúteis, a elas poderá permanecer preso, sem conseguir alçar voo para as regiões bem-aventuradas.

POLICIE suas palavras.

Evite termos impróprios e anedotas pesadas.

Lembre-se de que tudo o que dizemos permanece em nossa atmosfera mental, atraindo aqueles que pensam da mesma forma, e que passarão a formar o círculo comum em redor de nós.

Não ofenda com palavras baixas os anjos de Deus, que se afastarão de você horrorizados.

A boa educação se manifesta também através das palavras que partem de nós.

DEUS está dentro de nós em todas as circunstâncias da vida.

Quer você esteja praticando uma boa ação, quer esteja agindo errado, Deus está dentro de você.

Quer você sinta felicidade, quer esteja ferreteado pelo sofrimento, Deus está dentro de você.

Procure não esquecer esta verdade, em nenhum momento de sua vida:

DEUS ESTÁ DENTRO DE VOCÊ!

DESENVOLVA a parte humana de seu ser.

Não viva apenas na parte vegetal ou animal, por meio do instinto.

Desenvolva a parte humana de seu ser.

Procure conhecer a Verdade de sua origem e de seu destino, utilizando seu pensamento para conhecer-se a si mesmo cada vez mais.

Por menos cultura que você possua, você tem uma inteligência, com capacidade para raciocinar e pensar.

A cada um de nós compete uma tarefa específica, na difusão do bem.

Erga-se, para trabalhar, porque as tarefas são muitas e importantes, e poucos são os que têm consciência delas.

Ajude o mundo, para que o mundo possa ajudá-lo.

Estenda seus braços eficientes no cultivo do Bem, para que, quando os recolher, os traga cheios dos frutos abençoados da felicidade e do amor.

AJUDE, mesmo conversando!

Uma boa palavra, um sorriso de incentivo, um pensamento construtor são, muitas vezes, o ponto de partida para uma grande vitória daqueles que nos cercam.

Se observar tristeza ou preocupação, procure ajudar.

Se não puder agir, fale.

Se não puder falar, ao menos pense firmemente, desejando a felicidade e esta atingirá seu objetivo.

Mas, ajude sempre!

43

SE suas palavras forem ásperas e duras, se em todas as criaturas você descobrir um adversário, a vida se tornará uma tortura!

No entanto, repare que a Terra é uma escola sagrada.

E você poderá ser feliz, se conseguir ver em todos a boa vontade que os anima.

Atraia para sua convivência amigos devotados, por meio de suas palavras, mas sobretudo de seus pensamentos voltados sempre para o amor e o serviço do próximo.

44

SUA irritação não solucionará problema algum!

Medite na grande vantagem de não irritar-se, para não prejudicar sua saúde.

Se você não se irritar, seu interlocutor voltará aos poucos à serenidade, e todos poderão entender-se.

Seja calmo.

Pense bastante antes de falar.

E não se irrite, porque a irritação não pode solucionar nenhum problema!

SE alguém não o compreende, perdoe, e siga em frente!

Não guarde em seu coração mágoas e ressentimentos, medo e tristeza.

Caminhe para a frente!

Quanta gente espera de você apoio, compreensão e carinho!

Se não o compreendem, não se importe.

Perdoe e siga em frente, porque em todos os caminhos encontraremos sempre lições preciosas, que nos farão progredir.

A educação no lar é a base da felicidade de nossos filhos.

Dê toda a sua atenção para a formação do caráter de seus filhos, sobretudo por meio dos exemplos de sua própria vida.

Não discuta jamais com sua esposa.

Não dê jamais um passo errado.

Viva de tal forma, que seu filho possa orgulhar-se de você, vendo, em seu exemplo, o modelo que ele deve seguir, para ser um homem de bem.

O amor e a alegria são os elementos básicos para conquistarmos amizades e as conservarmos.

E são básicos, também, para nossa paz mental!

Demonstre amor e alegria em todas as oportunidades, e veja que a paz nasce dentro de você.

A felicidade não pode estar em nada que esteja fora de você.

Busque-a dentro de você mesmo, pois a Felicidade é Deus, e Deus mora dentro de você.

FIXE seu olhar no lado belo da vida!

Há tanta coisa para ser contemplada e apreciada!

As moscas buscam as chagas, num corpo inteiramente limpo.

As abelhas buscam as flores, mesmo no meio de um pântano.

Seja como as abelhas!

Embora tudo em torno seja lama, procure com atenção, que há de descobrir uma pequenina flor, que venha alegrar sua alma.

Fixe seu olhar no lado belo da vida!

JAMAIS use palavras que façam seu companheiro desanimar no caminho do bem!

Não lance aos outros o veneno que lhe haja penetrado na alma.

Se você tiver tido uma decepção, avise-o de que poderá vir a sofrer, mas conforte sua alma.

O desalento é um veneno.

Não envenene seus amigos!

Dê-lhes alegria, que é o melhor remédio que o céu fornece aos homens, capaz de curar todas as chagas.

SE tiver que discutir, faça-o com serenidade.

Lembre-se de que seu adversário tem os mesmos direitos que você, de fazer-se ouvido.

Ouça-o com a mesma atenção que gosta de receber.

Não tumultue a discussão: os direitos dele são iguais aos seus.

E, quem sabe, muitas vezes a razão estará com ele.

Então, discuta com serenidade, e conquiste fama de sábio e de homem bem-educado.

51

APRENDA a respirar.

A respiração é nossa principal função biológica e através dela fornecemos ao organismo a vida e a saúde, trazidas a nós pela Energia Cósmica.

Tudo o que vive, respira: plantas, animais e criaturas humanas.

Se impedirmos a respiração, dá-se o fenômeno da morte.

A respiração é a fonte da vida.

Cada vez que aspiramos, introduzimos no organismo a Energia Cósmica, que é Fluido Divino.

Aprenda a respirar conscientemente e evitará numerosas doenças.

52

NÃO perca sua serenidade!

Quando a irritação nos move, a saúde se descontrola, os órgãos se perturbam e sofremos terrivelmente.

Se o amigo o traiu, se sua parenta inventou uma calúnia, se aquele a quem você ajudou cometeu uma injustiça, uma ingratidão, perdoe!

São pessoas enfermas: tenha pena delas.

Mas você, não perca sua serenidade, não dê a entender que foi atingido!

TENHA equilíbrio e alegria.
Saiba ser reconhecido.
Não lance pedras a quem o beneficiou.
Não se julgue diminuído quando o ajudarem.
Saiba agradecer.
Quebre seu orgulho e receba com gratidão o auxílio que lhe derem.
E jamais esqueça o benefício nem o benfeitor.
O pior dos defeitos é a ingratidão, que despreza e apedreja hoje quem nos beneficiou ontem.

CADA um recebe de acordo com o que dá.

Se você der ódios e indiferença, há de recebê-los de volta.

Mas se der atenção e carinho, há de ver-se cercado de afeto e amor.

Ninguém se aproxima do espinheiro, por causa dos espinhos, nem do lodo, porque suja.

Mas todos apreciam permanecer perto das flores, que espalham beleza e perfume.

Cada um recebe de acordo com o que dá.

VOCÊ, que é mãe, lembre-se que *o seu exemplo* é a lição mais forte para seu filho.

Não discuta com seu marido diante das crianças.

Não critique o pai diante dos filhos.

Não fale mal dele.

Nunca o diminua com desprezo.

O exemplo de um lar bem constituído é a maior felicidade que você pode legar a seus filhos.

Por amor deles saiba sofrer, se for preciso, porque eles são frutos que você mesma gerou.

56

SEJA otimista!

Procure subir, e espere sempre que o melhor lhe aconteça.

Embora as aparências sejam contrárias, confie em Deus, que está dentro de você, porque n'Ele existe a solução de todos os seus problemas.

Olhe para o lado certo da vida, para a felicidade e o progresso, e não detenha jamais sua subida.

Seja otimista, e há de vencer!

NÃO pare jamais de trabalhar para o bem!

Cada vez que paramos, nossa alma começa a ficar na rigidez cadavérica.

A alma inativa morre de tédio e cansaço.

Não deixe que seu espírito se enfraqueça na inação.

Viva alegre e entusiasta e empregue todas as suas forças na plantação do bem, do amor, do carinho no coração daqueles que o cercam na vida.

NÃO dê importância à idade de seu corpo físico: seja sempre jovem e bem disposto espiritualmente.

A alma não tem idade.

A mente jamais envelhece.

Mesmo que o corpo assinale os sintomas da idade física, mantenha-se jovem e bem disposto, porque isto depende de sua mentalização positiva.

Faça que a juventude de seu espírito se irradie através de seu corpo, tenha ela a idade que tiver.

VOCÊ, que se acha enfermo, preso a um leito de dor, não desanime!

A doença não é um mal, pois é através da enfermidade que nos libertamos das vibrações grosseiras dos maus pensamentos, das más palavras e das más ações.

Suporte com paciência sua enfermidade, porque por meio dela se está purificando o organismo psíquico, sua alma, que só pode expulsar as impurezas por meio das doenças físicas.

NÃO se deixe abater pelo desânimo!

Não queira jamais abandonar a vida, porque isto nada resolve, e agravará ainda mais seus sofrimentos.

Se você pensa que, fugindo, sentir-se-á aliviado, engana-se redondamente!

Não se vingue dos outros, fazendo mal a si mesmo!

Reaja com todas as suas forças, e não se deixe esmagar pela incompreensão alheia.

TODA a natureza é uma harmonia divina, sinfonia maravilhosa que convida todas as criaturas a que acompanhem sua evolução e progresso.

Seja, em sua vida, um instrumento apto a captar as vibrações de paz e serenidade da natureza, e sua saúde encontrará o equilíbrio necessário a prosperar cada vez mais.

Viva de acordo com as leis da natureza, e com o espírito voltado para Deus.

SEJA fiel no cumprimento de todos os seus deveres.

Execute com capricho e amor todas as tarefas que recebe, embora pareçam insignificantes.

Qualquer coisa que esteja fazendo, por menor que seja, é um passo à frente em seu progresso.

Realize suas tarefas todas, como se delas dependesse – como de fato depende – todo o seu futuro.

LEVANTE sua cabeça!

Não fique triste!

Por que vai aborrecer-se, pelo que disseram de você?

Por quanto tempo continuará queixando-se, reclamando?

Vamos, levante sua cabeça e siga em frente!

Você é filho de Deus!

Caminhe seguro, porque aqueles que falam de você vão ficar parados atrás, sem progredir.

E quando eles perceberem, você já progrediu tanto, que eles o perderam de vista...

"NÃO se escravize às opiniões da leviandade ou da ignorância."

Não importa o que os outros pensam ou dizem de nós.

O que verdadeiramente importa é aquilo que realmente somos.

Tenha sua consciência tranquila, mesmo que seja condenado.

Não se esqueça de que Jesus foi o condenado, e Herodes foi o vencedor momentâneo.

Mas responda: qual dos dois foi verdadeiramente o vencedor?

AMIGO, se por força de sua profissão é obrigado a lidar com o público, não perca sua paciência!

Sabemos que é difícil manter-se calmo diante de certas pessoas, que já chegam irritadas, que são exigentes e não mantêm uma linha de boa educação.

No entanto, é nesses casos que se deve evidenciar nossa virtude de calma e paciência.

Controle seus nervos, e procure compreender e servir com amor.

NÃO interrompa a manifestação de carinho a uma pessoa querida, só porque os outros o julgam errado.

Consulte sua consciência e não dê ouvidos às vozes da inveja e do ciúme.

O carinho é o óleo que lubrifica as engrenagens da vida, que já é dura por si mesma.

A vida sem afeição é um inferno, um deserto sem oásis.

Conserve seu carinho, dedicando-o às pessoas a quem você ama.

VOCÊ, que é noiva, não acredite que casamento seja loteria.

Não!

No casamento, o prêmio depende de você saber conquistá-lo.

Prepare-se para ser feliz e para fazer feliz o homem a quem você ama.

Estude seu gênio, não interfira em seus pensamentos, trate-o com amor e carinho, e verifique que a sorte grande do casamento está em suas mãos.

De você depende a sua felicidade!

68

TENHA fé em seu corpo físico e esteja certo de que todos os seus órgãos funcionarão perfeitamente.

Pensando assim, você ajudará sua própria saúde.

Acredite no poder renovador da vida, em você.

Afaste o pensamento da velhice.

Deus está dentro de você!

Renove sua saúde por uma respiração perfeita e jamais aceite a ideia da doença e do sofrimento.

Deus age sempre em seu benefício.

CAMINHE sempre resolutamente no sentido de seu progresso.

Se não quisermos acompanhar a evolução do universo, seremos arrastados a isso por meio da dor, e progrediremos de qualquer forma.

Então, siga em frente voluntariamente.

E não dê ouvidos ao caluniador.

Siga em frente e deixe que os caluniadores fiquem falando sozinhos.

Caminhe resolutamente no sentido do seu progresso, e nenhuma voz malévola chegará a seus ouvidos.

RENOVE sua saúde por meio de afirmações positivas.

Todas as suas células e seus órgãos cumprirão integralmente seus deveres, se você não os maltratar com pensamentos negativos de descrença, de medo, de raiva nem de vingança.

Envie pensamentos positivos de saúde a seus órgãos e células e forneça a seu corpo alimentos sadios, para não lhe dar demasiado trabalho.

O mundo está cheio de Luz Divina!

Procure percebê-la e sentir em si as irradiações benéficas, que se derramam sobre todas as criaturas, aproveitando ao máximo o conforto que isto lhe trará ao espírito.

Olhe tudo com olhos de bondade e alegria!

Busque descobrir a luz que brilha dentro de você e dentro de todas as criaturas, embora, muitas vezes, esteja ela recoberta por grossa camada de defeitos!

SEJA alegre e otimista!

Quando se dirigir a seu trabalho, faça-o de coração alegre.

O trabalho que você executa é digno de sua pessoa.

Por menor que pareça, é de suma responsabilidade para você e para o mundo.

Não se esqueça jamais de agradecer a Deus o trabalho que lhe proporciona o pão de cada dia.

Chegue ao local do trabalho com o coração feliz, e o trabalho se tornará um passatempo, um estimulante, que lhe trará, cada novo dia, imensas alegrias e felicidade incalculável.

DEUS nos guia sempre, dando-nos a orientação de nossa vida.

Mas precisamos ser receptivos, para ouvir Sua voz, sabendo-a interpretar através das circunstâncias que cercam nossa vida, levando-nos ao maior progresso espiritual de nosso ser.

Procure meditar silenciosamente, para ouvir a voz de Deus, que o guia, sem jamais abandoná-lo.

SEM esforço de nossa parte jamais atingiremos o alto da montanha.

Não desanime no meio da estrada: siga em frente, porque os horizontes se tornarão amplos e maravilhosos à medida que for subindo.

Mas não se iluda, pois só atingirá o cimo da montanha se estiver decidido a enfrentar o esforço da caminhada.

NÃO se esqueça de que, qualquer que seja sua posição na vida, há sempre dois níveis a observar: os que estão acima e os que estão abaixo de você.

Procure colocar-se algumas vezes na posição de seus chefes; e outras vezes na posição de seus subordinados.

Assim, você poderá compreender ao vivo os problemas que surgem dos dois lados.

E, desta forma, poderá ajudar melhor a uns e a outros.

NÃO limite o poder de sua vida!

Não pense que conseguirá tudo o que deseja, numa só existência.

Mas confie, porque a vida é eterna, infindável.

Não pense também que, depois desta, irá iniciar uma vida diferente: nada disso!

Esta mesma vida é que continuará sempre.

Portanto, procure aumentar seus conhecimentos e aperfeiçoar-se, verificando como é rápido o momento atual, comparado com a eternidade!

COLOQUE Deus, conscientemente, em tudo o que faz, em todos os seus problemas.

E verificará que seus sofrimentos se transformarão em experiência e aprendizado.

Coloque Deus em todos os seus pensamentos, e sua vida se transformará num hino de alegria e louvor, porque as dores se esvairão como as trevas, que desaparecem aos primeiros clarões das luzes da aurora...

O que importa antes de tudo é o momento presente.

O que foram nossos pais não tem importância: o que vale é o que você é agora.

O momento presente é o criador de seu amanhã.

Sua felicidade está baseada em seus pensamentos de hoje.

Somos escravos do ontem, mas somos donos de nosso amanhã!

Preste mais atenção ao momento que passa, ao que você está fazendo AGORA, porque do "agora" depende seu "amanhã".

TUDO tem sua hora própria.

"O próprio céu tem horário para as trevas e para a luz!".

Aprenda com a natureza!

Se em certas horas precisamos receber, não se esqueça de que, noutras horas, temos obrigação de dar.

Ajude, pois, mas sem querer substituir-se a quem você ajuda.

Cada um precisa caminhar com seus próprios pés, para aprender a viver.

Saiba distinguir o momento oportuno de dar e de receber.

NÃO se irrite contra aqueles que o caluniam!

São benfeitores seus, que lhe estão sempre chamando a atenção para seus erros, reais ou possíveis.

Siga em frente!

A dor é o adubo que faz crescer em nós a produção evolutiva.

O arado que rasga o seio da terra é que permite a colheita abundante.

E as lágrimas fertilizam nosso coração, tornando possível um progresso maior...

DEUS está em toda parte: portanto, está também dentro de nós e dentro de todas as pessoas que nos cercam, boas ou más.

Tudo provém de Deus.

Tudo é manifestação divina.

Mesmo aquilo que nos parece mal ou erro pode ser a causa de um benefício futuro.

Nosso sofrimento resulta do desconhecimento da verdade básica: Deus dirige todos os acontecimentos, porque está em tudo.

TENHA bom ânimo e coragem: você vencerá todas as dificuldades!

A vida apresenta-nos problemas às vezes difíceis.

Mas dificuldade superada é problema resolvido.

Jamais desanime: você há de vencer galhardamente todos os problemas que se lhe apresentarem.

Se o problema for complexo, divida-o em partes, e vença cada uma delas separadamente.

Mas não desanime jamais!

DEUS é a Energia Cósmica universal, que habita dentro de você e de tudo o que existe nos universos infinitos, dando-lhes vida e força.

Confie nessa força inesgotável, que está dentro de você.

Mantenha sua mente ligada a ela, e não mais se lamente do que lhe desagrada ou faz sofrer.

Sorria diante das dificuldades e confie n'Aquele que o fortalece e vivifica.

MANTENHA elevado seu otimismo na vida!

Quem possui o coração cheio de amor, nada teme! Arrosta todos os vendavais da vida, com um sorriso nos lábios.

Procure amar a todos e a tudo, mesmo àqueles que o fazem sofrer, e você se estará tornando perfeito, como o Pai Celestial, que dá a todos, sem distinção – bons e maus, justos e injustos – as mesmas oportunidades de salvação.

NÃO alimente inimizades!

Procure fazer as pazes com todos aqueles que estão de mal com você.

Aproveite a oportunidade de estar ao lado de seus adversários, para fazer-lhes bem, em troca do mal que lhe fizeram.

Não deixe escapar o ensejo de anular o mal em torno de você, enquanto estiver na Terra, para que, ao sair dela, tenha sua consciência tranquila.

NÃO diga jamais que é pobre.

A pobreza não é falta de dinheiro: a pobreza verdadeira é a falta de compreensão.

Todo aquele que compreende a vida, que sabe dizer uma palavra de conforto, que sabe estender a mão compassiva ao que sofre, que sabe distribuir alegria e otimismo, é rico, imensamente rico de bondade, que jamais falta, por mais que você a distribua por milhares de pessoas.

NÃO perca de vista sua filiação divina.

Deus é pai de todas as crianças e vive dentro de cada um de seus filhos.

Todas as criaturas são irmãs.

As diferenças raciais e religiosas são apenas de superfície.

Olhe para todos como templos vivos da Divindade, e ame a Deus através do amor às criaturas, procurando servi-lo, servindo ao seu próximo com amor e dedicação.

SUA luz deve brilhar de dentro para fora.

Procure manifestar a todos a luz interior que vibra em você, através de seus atos e de suas palavras de compreensão e de otimismo.

Seja você mesmo sua própria luz, iluminando a todos com suas palavras de conforto e incentivo, com seu sorriso de entusiasmo e de encorajamento, com seu exemplo de fé e otimismo.

NÃO perca sua serenidade.

A raiva faz mal à saúde, o rancor estraga o fígado, a mágoa envenena o coração.

Domine suas reações emotivas.

Seja dono de si mesmo.

Não jogue lenha no fogo de seu aborrecimento.

Esqueça e passe adiante, para não perder sua serenidade.

Não perca sua calma.

Pense, antes de falar, e não ceda à sua impulsividade.

PROCURE descobrir o seu caminho na vida.

Ninguém é responsável por nosso destino, a não ser nós mesmos.

Nós é que temos que descobrir a estrada e segui-la com os nossos próprios pés.

Desperte para a vida, para a Verdadeira Vida.

E, se deseja a felicidade, lembre-se: você é o único responsável por seu destino.

Supere as dificuldades, vença os obstáculos e construa sua vida.

91

"TUDO coopera para o bem daqueles que amam a Deus!"

Então, manifeste constantemente a todas as criaturas, que são a *manifestação* da Divindade em redor de você!

Deus revela-se ao homem através do próprio homem.

O melhor meio de amar a Deus é saber amar ao próximo, relevando-lhe as faltas, compreendendo seus problemas e ajudando-o em todas as circunstâncias.

VOCÊ, que é enfermeira, ame os doentes que a procuram e que lhe foram confiados, como se fossem seus próprios filhos e irmãos.

Sua missão é grandiosa e sublime, embora difícil e espinhosa.

Não se irrite jamais!

Os enfermos são exigentes, porque sentem mais necessidade de carinho do que as pessoas sadias.

Seu carinho lhes apressará a cura, mais do que qualquer outro remédio.

NÃO fique a pedir as coisas...

Os braços parados nada produzem.

As mãos que não ajudam criam ferrugem.

Trabalhe com entusiasmo e alegria, e o próprio trabalho trará, com seus resultados positivos, a solução de todas as suas dificuldades.

Procure gostar do trabalho que lhe cabe realizar, e dentro de pouco tempo terá a alegria morando em seu coração.

DEUS habita dentro de você!

Deixe, então, que sua bondade se manifeste através de seus olhos, tornando-os brandos de compreensão, quentes de compaixão, ternos pelo perdão constante a todos...

Que nenhum olhar de impaciência ou condenação tolde a beleza de sua vida!

Que sua fisionomia irradie contentamento de felicidade, de tal forma que todos os que se aproximem de você sejam contaminados por seu otimismo!

COM os nossos pensamentos e palavras, construímos o verdadeiro mundo em que vivemos.

Por isso, nossa vida e nossa felicidade dependem exclusivamente de nossos pensamentos e de nossas palavras.

Vigie o momento presente, para que seu futuro seja feliz.

Plante sementes de otimismo e de amor, para colher amanhã os frutos da alegria e da felicidade.

PROCURE dar exemplos de paciência e desprendimento, servindo a todos com bondade e dedicação.

A verdadeira vida é a vida do amor e do serviço.

Derrame seu amor sobre todas as coisas criadas, desde a tenra plantinha até as constelações que gravitam nos espaços sidéreos.

Mas, sobretudo, seja paciente e desprendido com as criaturas humanas, que vivem a seu lado, como seus companheiros de jornada.

SEJA forte nos embates da vida e não desanime se o sofrimento o visitar, em sua pessoa ou nas pessoas que lhe são caras.

O sofrimento, além de purifi-*car-nos*, realiza o aprimoramento de nossa força interna.

Ninguém consegue passar de ano sem prestar exame.

Ninguém consegue progredir, sem sofrer o exame da natureza, que verifica se realmente sabemos ser fortes, suportando as dores.

SEJA alegre, procurando fazer todo o bem que puder, nos dias em que permanecer na face da terra.

Espalhe em torno de si esmolas de conforto, palavras de carinho, sorrisos de felicidade.

Responda com alegria e otimismo a todos aqueles que lhe dirigem a palavra, sem irritar-se jamais.

Imprima, em cada dia de sua vida, toda a bondade que existe no fundo de seu coração.

MANTENHA a amizade de seus amigos.

Saiba retribuir com gratidão os benefícios que recebe.

Não seja ingrato!

Se de alguém recebeu benefícios, não o esqueça, não o expulse da *roda* de sua amizade.

Não fira seus amigos, não magoe aqueles que muitas vezes se sacrificaram, para dar-lhe momentos de alegria.

Não negue seu carinho àqueles que se desvelaram para proporcionar-lhe felicidade.

NÃO diga que não pode trabalhar em benefício dos outros.

Quantos mudos dariam uma fortuna para poderem falar como você!

Quantos paralíticos suspiram pelos passos que você pode dar!

Quantos milionários lhe entregariam suas riquezas, para terem um décimo da fé que você tem!

Não diga que não pode trabalhar!

Distribua os bens que Deus lhe concebeu, em gestos de bondade e palavras de carinho.

101

NÃO deixe que a calúnia perturbe sua vida.

Não se nivele ao caluniador, para que não seja igual a ele.

Não responda nem se altere.

Continue sua estrada, se está com a consciência tranquila, e não modifique seu modo de viver, só para obedecer ao caluniador.

Talvez seja isto o que ele quer: tirá-lo do bom caminho.

Não lhe obedeça!

Caminhe para a frente imperturbavelmente!

A terra espera pelo seu auxílio.

Ela lhe dá o ar para respirar, desde que nasceu, a água para dessedentá-lo, o alimento para sustentá-lo, a residência para protegê-lo, e você, o que dá em retribuição?

Está contribuindo para a prosperidade da terra que o recebe de braços abertos permitindo-lhe a evolução e o aprendizado?

Não se esqueça de que a terra espera pelo seu auxílio!

TENHA fé em si mesmo, porque Deus habita dentro de você.

Portanto, ter fé em si mesmo é ter fé em Deus.

Tenha confiança em suas capacidades, e caminhe sem temer os obstáculos.

Você pode vencer!

Você VAI VENCER!

Corresponda à confiança que Deus depositou em você, quando lhe entregou as capacidades de que dispõe, para que você as desenvolvesse e pusesse em prática.

SE você está enfermo, não desespere!

Não pense em abandonar a vida, porque isto seria covardia vergonhosa de sua parte.

Suporte com paciência a provação, e lembre-se de que a enfermidade é o melhor meio de purificarmos nosso espírito.

Quanta gente sofre mais do que você, e no entanto resiste e reage heroicamente...

Faça o mesmo: jamais desespere!

TODAS as vezes que olhar para uma criança, levante seu pensamento em ação de graças a Deus, que jamais abandona seus filhos.

A criança é a esperança de hoje, na realização de amanhã.

É a certeza de que a Terra está sempre a renovar-se, recebendo cada dia novos habitantes que lhe vêm trazer a contribuição de seu trabalho e de sua capacidade, para o progresso do mundo.

VOCÊ está sofrendo?

Supere sua dor com heroísmo, porque só os vencedores conseguirão o prêmio que se encontra à espera deles.

Não se apresse, mas também não desanime.

Supere sua dor com heroísmo, busque alegria, e viva com a sensação otimista daquele que sabe lutar sem desfalecimento.

E verifique que *sua vida* se transformará num hino de ação de graças ao Pai Todo-Bondade.

QUANDO a dúvida o assaltar, mantenha firme seu coração, no desejo sincero de perseverar até o fim.

Se a mágoa e a calúnia o ferirem, não fique a lamentar-se inutilmente: gaste seu tempo em trabalhos *construtivos*, auxiliando a todos os que necessitam de seu apoio.

Não se deixe desfalecer pelas dores!

Ao contrário: eleve seu pensamento confiante, pedindo o socorro do Alto.

PROCURE dar o mais que puder...

uma boa palavra...
um sorriso...
um gesto de incentivo...
um pensamento generoso...

E você há de sentir em seu coração a grande verdade: é muito melhor dar que receber!

Ainda não percebeu isto?

Experimente, então!

Ajude alguém, desinteressadamente, e observe como lhe virá bater à porta, com as mãos cheias de alegria, a *maior* felicidade que você possa conhecer em sua vida:

A FELICIDADE DE DAR!

109

A morte não existe!

O que se dá é apenas uma transformação em nossa maneira de ser.

Não espere que, depois desta, exista outra vida. Não!

A vida é a mesma.

A *vida eterna* já está sendo vivida por todos nós.

Depois da morte, continuamos a ser o que já somos.

Portanto, procure ser AGORA, antes da morte, aquilo que você deseja continuar a ser depois da morte.

Porque a morte não existe!

CAMINHE alegre pela vida!

Plante sementes boas de paz e otimismo, vivendo bem com sua consciência.

Ajude aos outros o mais que puder, de tal forma que sua vida se torne uma alegria constante, por beneficiar a todos.

Não pergunte se eles agradecerão ou retribuirão a você.

Faça o bem, sem pensar na recompensa, porque só assim você demonstrará amor para com todos.

SEJA forte e corajoso.

Não se deixe vencer pela adversidade, pela doença, pela dor.

Saiba que a Força Divina jamais o abandona, porque está dentro de você mesmo.

Reaja com firmeza, porque o auxílio lhe chegará na h[illegible]a oportuna.

A mesma força que está dentro de você dirige os universos infinitos...

Tenha confiança e seja corajoso.

Seja forte! Tenha bom ânimo!

NÃO esbanje suas forças mentais com atividades de pouca importância e prejudiciais a você.

Dê finalidade elevada a seus trabalhos.

A alimentação e o sexo consomem demasiada energia mental, se não forem bem equilibrados.

Canalize sua força espiritual e mental para os sublimes interesses da humanidade, para a felicidade das pessoas que o cercam.

NÃO desanime!

Aprenda a começar e a recomeçar.

Não se deixe arrastar pela indiferença: se caiu, levante-se e recomece.

Se errou, erga-se e recomece.

Se não consegue dominar-se, firme sua vontade e recomece.

Não desanime jamais!

Talvez chegue ao fim da luta cheio de cicatrizes, mas estas se transformarão em luzes, diante do Pai Todo-Compassivo.

TENHA cuidado em não magoar ninguém com suas ações, nem com suas palavras.

Aprenda a dizer o "não" de tal forma, que não melindre.

Não seja ríspido nem demonstre intolerância.

Compreenda o ponto de vista dos outros, que têm tanto direito, quanto você, de ter sua opinião própria.

Use, em todos os seus atos e palavras, de benevolência e gentileza.

Domine sua irritabilidade!

PLANTE sementes de bondade e de amor, mas não se preocupe com os resultados futuros.

Se não obteve o bem que você esperava, ou se o benefício não provocou a gratidão desejada, não se aborreça.

Ajude e passe adiante!

Lance as sementes ao solo, e deixe que cresçam e frutifiquem segundo as possibilidades do terreno.

Aguarde o tempo...

Mas, por enquanto, plante as sementes da bondade e do amor, por onde quer que você passe.

116

TENHA fortaleza de ânimo, para resistir a todos os embates e tempestades do caminho.

Não se iluda: mesmo a estrada do bem está cheia de tropeços e dificuldades...

Continue, porém!

Não dê ouvidos às pedras colocadas pela inveja, pelo ciúme, pela intriga...

Marche de cabeça erguida, confiantemente, e vencerá todos os obstáculos da caminhada.

E, se for ferido, lembre-se de que as cicatrizes serão luzes que marcarão a sua vitória.

SE o sofrimento bateu à sua porta, não se desespere: são bem-aventurados os que choram, porque serão consolados.

O sofrimento parece a todos um mal, a dor apavora...

Mas, quando aprendemos que a dor é uma libertação que nos devolve a paz ao espírito, passamos a julgá-la menos dolorosa.

Para que sua dor doa menos, aprenda a conformar-se com ela, porque ela representa sua libertação.

VOCÊ, que é jovem, construa a sua felicidade em bases sólidas.

A felicidade não depende dos outros, mas de nós mesmos.

Se alguém quiser desviá-lo do bom caminho, não o acompanhe: siga a estrada reta do bem, pois só assim conseguirá ter alegria em seu coração.

Estude o mais que puder, ouça os conselhos de seus pais, seja puro e sincero em suas afeições, pois assim construirá uma vida nobre e digna.

119

NÃO perca sua calma!

Não se deixe dominar pela cólera.

Que jamais o sol se deite sobre sua raiva.

Contenha-se o mais que puder.

Um simples *raio* de cólera pode *destruir* longas e pacientes sementeiras de amor e carinho!

Procure dominar-se.

Quem sabe se a pessoa que o ofendeu não está doente?

Não perca sua calma...

Seu fígado é demais precioso para que você o estrague.

NÃO repise suas dificuldades e dores, porque isso prejudica sua saúde, provoca enfermidades.

Não dê a seu corpo alimentos nocivos, de pensamentos negativos.

Fale sempre de saúde e riqueza, de progresso e vitória.

Diga: "a força de Deus habita dentro de mim!"

Os bons pensamentos produzem frutos de alegria e aumentam a felicidade cada dia mais.

A palavra do homem é responsável pelo estado de sua saúde física.

VOCÊ, que é mãe, que recebeu uma linda flor do céu para cultivar o jardim da Terra, mantenha sua mente ligada ao Pai celeste, que ele a sustentará sempre em suas lutas.

Olhe para seu filho com carinho.

Pense nas criaturas que não conseguiram gerar um filho em suas entranhas!

E pense nos milhares de pequeninos que não encontraram ninguém que com eles tivesse o carinho de mãe!

Seja paciente com seu filho!

NÃO julgue seu próximo.

Não pense mal das pessoas.

Quantas vezes as aparências enganam, e o que pensamos ser um erro é o que está certo nos outros.

Não julgue para não ser julgado!

Se você estivesse na situação "dele", talvez fizesse pior, e não gostaria que o julgassem mal...

Não faça aos outros o que não gosta que os outros façam a você.

QUANDO ensinar, não seja arrogante.

E não se esqueça de que o aprendizado dura a vida toda.

Procure aprender também, em todas as ocasiões, e não despreze um bom conselho, só porque lhe chegou de lábios que você julga menos puros.

Deus ajuda aos homens por meio dos próprios homens e as vezes se serve de pessoas que não são perfeitas, para dar-nos avisos importantes.

PROCURE não ler coisas desagradáveis e tristes, escândalos e desastres.

Leia e pense somente o que é bom e puro, belo e verdadeiro.

Afirme a si mesmo que estes são os únicos estados dignos de Deus e do homem.

Não converse sobre suas doenças, dificuldades ou pobreza.

Quanto mais falar nisso, mais as agravará.

Converse apenas sobre fartura e saúde, e viva com otimismo e alegria.

125

A beleza transitória da matéria passa depressa.

Procure sondar a beleza interna das pessoas com quem convive.

Há flores belíssimas e perfumadas, que só duram poucas horas.

No entanto, apesar de feias, as pedras *duram* milênios, realizando suas tarefas.

Não seja, pois, leviano.

Não prefira o efêmero ao eterno, a beleza à sabedoria.

Firme-se no que dura para sempre, que é o Espírito imortal, nosso verdadeiro EU, e não no que cedo desaparece.

VOCÊ, que é professor, procure modelar seus alunos com seu próprio exemplo.

O exemplo vale mais do que as palavras.

Tenha paciência, responda de boa mente a todas as perguntas, porque os alunos são muito receptivos e ansiosos de aprender.

Dê tudo o que pode, entregue-se à sua profissão como um sacerdócio dos mais sublimes, e tenha a alegria de ver uma plêiade de jovens que trabalharão em benefício de todos, e que foram formados por você.

NÃO julgue pequena demais sua tarefa.

Nenhuma obra de arte pode descurar dos pormenores.

Se as minúcias forem perfeitas, é que podemos denominar alguma coisa de obra-prima.

Não busque tarefas grandiosas e de evidência.

Procure dar conta integralmente do serviço pequenino que lhe foi confiado.

Da perfeição com que o executar dependerá sua oportunidade para receber uma incumbência maior.

SAIBA viver os belos momentos de sua vida.

Aproveite os minutos de alegria, sem pressa de novamente mergulhar nos trabalhos agitados.

Goze amplamente seu repouso espiritual.

Olhe a paisagem, contemple as estrelas, aprecie os caprichos da natureza, colha em todos os canteiros as flores de alegria!

Saiba viver integralmente os belos momentos de sua vida!

129

NÃO se deixe arrastar pela vaidade.

Aprenda a conhecer-se.

Não se julgue indispensável.

Quando lhe vier a tentação de julgar-se insubstituível, lembre-se de uma verdade irrefutável: só Deus é indispensável.

Não se envaideça!

Deus, que é grande, não assinou nenhuma de suas obras...

Não se esqueça: quem se exalta será humilhado, mas quem se humilha será exaltado.

NÃO pense que abandonar a vida poderá resolver seu caso.

Ao contrário, vai complicá-lo muito mais.

Não seja covarde!

Enfrente a luta, que todos os seus esperam de você a coragem de lutar até o fim.

Não fuja do campo de batalha, justamente na hora em que o combate se torna mais aceso.

Seja corajoso!

Não fuja às responsabilidades que você assumiu.

"QUANDO você encontrar trevas diante de si, não esbraveje contra elas: ao contrário, procure acender uma luz."

Quando alguém errar, não o condene nem ataque: acenda uma pequenina luz diante dele, com seu exemplo.

Nada melhor existe para ajudar aos outros do que mantermos nossa luz acesa; servindo nosso exemplo de farol para guiar o próximo, mostramos-lhe o caminho da subida.

NÃO deseje aquilo que pertence a outrem.

Não queira enriquecer à custa de outra pessoa.

Tudo o que é seu, por direito divino, lhe há de chegar às mãos, na hora oportuna: nem mais cedo do que deve, nem com atraso.

Na hora exata, você receberá aquilo que merecer.

Portanto, trabalhe confiante no Pai, pois não cai um fio de cabelo de sua cabeça, sem a permissão d'Ele.

NÃO se queixe do mundo.
O mundo não é mau.
Os homens é que ainda não conseguiram ser bons.
Mas da lama imunda nasce a pureza dos lírios.
E também daquilo que nos parece mau e impuro pode surgir a luz mais sublime.
Repare que a luz não se suja, mesmo quando é refletida pelo pântano.
Procure ter apenas pensamentos bons, porque eles não serão maculados, nem mesmo quando refletidos em ambientes menos puros.

NÃO creia que encontrará a perfeição naqueles que o rodeiam.

A sublimidade é difícil.

Portanto, se encontrar falhas naqueles que você admira, não se decepcione: dê a eles mais carinho e apoio, para que possam reparar as oportunidades perdidas.

Não despreze a quem erra: procure erguê-lo, exaltando aquelas qualidades que todos têm dentro de si, de modo que ele possa vencer e subir.

SE está enfermo, não se impressione.

Qualquer mal, ou aparência de mal, é coisa passageira.

A única essência eterna e real é Deus, que é todo o Bem, a saúde perfeita, a felicidade integral, a alegria sem sombras.

Se a doença o está experimentando, procure unir-se mentalmente à Energia Cósmica que lhe penetra o organismo juntamente com o ar que respira, e busque assim o revigoramento e a purificação de todas as suas células.

DERRAME raios de sol de alegria em torno de si.

Desta maneira, formará um círculo de pessoas que sentirão prazer em estar a seu lado.

Quando algum amigo seu estiver triste, sabe que encontrará alegria em você.

Derrame sua luz sobre todos os que o rodeiam, porque a alegria é obra divina.

Seja um raio de luz a iluminar a vida das criaturas que se acercam de você.

O céu está dentro de você!

Aprenda a viver no paraíso.

Não é preciso morrer para ir para o céu, não!

Nós criamos em nós os infernos de tristeza e angústia.

Então aprenda a criar o paraíso da alegria.

Perdoe sempre e siga adiante, evitando aborrecer-se.

Não dê importância ao que dizem de você.

Deixe que sua alegria brote do íntimo de seu coração bom e generoso.

NÃO se prenda às opiniões da multidão!

Viva sua vida, de acordo com as luzes que lhe chegam do Alto.

A multidão julga o lado exterior.

O íntimo só Deus conhece.

O mundo não pode conhecer os ensinamentos de amor do Mestre.

Prefira obedecer ao Mestre amando sempre, e não dê valor às opiniões da multidão, que tudo faz para que sejamos iguais a ela, sem personalidade e sem opinião própria.

ESTUDE sua própria personalidade.

De nada nos valerá o conhecimento de todas as ciências do mundo, de tudo o que está fora de nós, se não conhecermos a nós mesmos.

Estude sua alma, que é seu verdadeiro eu, que se reflete em sua personalidade exterior.

Nosso corpo é a projeção de nossa alma.

Conheça a si mesmo, para viver uma vida consciente e feliz.

SE algo de errado lhe aconteceu na vida, não diga que foi "vontade de Deus"

Não!

Deus quer apenas nosso bem e nossa felicidade, e nos dá os meios de sermos felizes.

O mal que vem sobre nós é resultado de nossos erros do passado, de nossa ignorância.

Faça em seu redor uma sementeira de bondade e de perdão, para que amanhã possa colher os frutos da paz e da felicidade.

NÃO procure colecionar tesouros apenas nesta terra, porque os ladrões podem roubá-lo e seu tesouro pode envelhecer.

Além disso, não se esqueça de que, quando partir da terra, aqui deixará tudo, até seu próprio corpo.

Então, por que ser avarento?

Colecione os tesouros das boas obras, do bem que pratica em benefício do próximo, porque essas riquezas o acompanharão além-túmulo.

PROCURE interessar-se pelas crianças, que são o futuro do mundo.

Cuide delas com amor, e não com indiferença.

Quantos cárceres estão cheios, por falta de carinho nos lares!

Não se esqueça de que o criminoso mais cruel foi, um dia, uma criança pura e inocente como todas as outras...

Cuide das crianças com desvelo e carinho, e terá preparado um futuro feliz para a humanidade.

143

NÃO desanime, não pare no primeiro degrau da ascensão.

Se a dúvida o assaltar, se a tristeza bater à sua porta, se a calúnia o ferir, erga sua cabeça corajosamente e contemple o céu iluminado e tranquilo.

Embora recoberto de nuvens, você sabe que elas passarão, e o céu voltará a brilhar.

Siga em frente, que todas as nuvens da existência também hão de passar e voltará a brilhar o sol da alegria.

NÃO dê ouvidos às intrigas e calúnias; só a árvore que produz frutos é que se vê apedrejada, para deixá-los cair.

A árvore estéril ninguém dá importância.

A calúnia, muitas vezes, é uma honra para quem a recebe.

Não pare seu serviço por causa da calúnia.

Se para de fazer o que estava fazendo, dá razão ao caluniador.

Siga em frente, e todos acabarão calando-se e no fim ainda baterão palmas ao seu trabalho.

O homem é o que pensa.

Se você insistir em pensar no mal, na dor, na doença, você os atrairá para si.

Pense na saúde, na alegria, na prosperidade, e sua vida tomará novo rumo.

Afirme sempre que é feliz, que as dores passam, que a saúde se consolida cada vez mais, e a felicidade baterá à sua porta.

Seja otimista e permaneça o mais possível ligado ao Pai Celestial.

CUIDE bem de seu corpo, dando-lhe alimentação sadia e frugal.

Não abuse de carnes nem de bebidas alcoólicas.

Mas não esqueça também que a alma precisa de alimentação!

Procure ler bons livros.

Faça da leitura um hábito diário.

Não é só de pão que vive o homem: é também da sabedoria.

E esta você a encontrará nos bons livros, companheiros deliciosos e cheios de ensinamentos úteis.

147

A cooperação é uma das coisas mais sublimes da vida, mas a interferência é uma das mais desagradáveis.

Ajude sem interferir.

Não imponha seu ponto de vista quando ajuda alguém.

A cooperação ajuda, a interferência atrapalha.

Então, coopere com todos, mas sem interferir em sua maneira especial de agir e de pensar.

Não temos direito de interferir na vida de ninguém.

148

NÃO fique remoendo as coisas do passado.

Ficar preso ao passado não dá futuro.

Não se deixe prender por mágoas e ressentimentos.

Não se atormente com o que passou, mesmo que reconheça seu erro.

Levante-se e siga em frente, o mais rapidamente que puder.

Faça as pazes com seus adversários, envie pensamentos de simpatia e amor, e todas as mágoas se afastarão e você viverá feliz e risonho.

"LEVANTE todos aqueles que estiverem caídos em seu redor.

Você não sabe onde seus pés tropeçarão."

Estas palavras de André Luís nos alertam quanto ao dever de ajudar a todos os que caem, não só física, como moralmente.

Não critique quem cair.

Ajude-o a erguer-se, tal como você gostaria que fizessem com você, se estivesse no mesmo caso.

QUANDO der uma esmola, não anuncie a todos.

"Não saiba sua mão direita o que faz a esquerda."

Ajude sem alarde, para não humilhar aquele a quem sua generosidade ajudou.

Respeite o próximo e ajude sempre, mas em silêncio, porque o Pai, que vê no segredo, o recompensará muito mais do que o reconhecimento público que tiverem seus atos.

INTERPRETE corretamente a frase de Juvenal: mente sã – corpo são.

Não é a mente que depende da saúde do corpo.

Ao contrário, é o corpo sadio que depende da mente sadia.

Quando o espírito está perfeitamente equilibrado, não há enfermidades que nos ataquem.

Cuide de sua mente, para que a saúde se reflita em todo o seu corpo.

PARA você subir na vida, dois degraus existem de suma importância.

São representados por dois verbos: AMAR e SERVIR.

Jamais desanime na escalada dos valores da alma, e procure em todas as circunstâncias AMAR e SERVIR a todos e a tudo, para ajudar ao máximo o progresso do planeta que o recebe tão generosamente, auxiliando-lhe a evolução.

TENHA coragem em todas as circunstâncias da vida.

Por piores que lhe pareçam as dificuldades, tenha a certeza de que pode superá-las com a persistência e a força que provêm de seu íntimo.

Deus está dentro de cada um de nós, pronto a dar-nos energia e vigor, ânimo e incentivo.

Confie na bondade do Pai, que jamais desampara nenhum de seus filhos.

O minuto que você está vivendo agora é o mais importante de sua vida, onde quer que você esteja.

Preste atenção ao que está fazendo.

O ontem já lhe fugiu das mãos.

O amanhã ainda não chegou.

Viva o momento presente, porque dele depende todo o seu futuro.

Procure aproveitar ao máximo o momento que está vivendo, tirando todas as vantagens que puder, para seu aperfeiçoamento.

155

LEMBRE-SE de que não devemos humilhar ninguém.

Os erros que os outros cometem hoje, nós podemos cometê-los amanhã.

Não se julgue inatingível nem infalível.

Todos podem falhar.

Trate os outros com tolerância, para que possa reerguê-los, se errarem.

A perfeição não é desta terra.

Não exija dos outros aquilo que você também ainda não pode dar.

PROCURE compreender o próximo.

Não magoe aqueles que o beneficiaram.

Procure compreender as palavras e ações dos outros, especialmente se o amam.

Não fira a sensibilidade alheia, porque você sabe como sofre, quando fazem isto com você.

Como dói ouvir palavras duras, de ingratidão, proferidas pelos lábios da pessoa a quem amamos!

Não faça isso!

Procure compreender os outros!

AJUDE a todos, como desejaria ser ajudado.

Se tem empregados, saiba compreender suas dificuldades, tanto quanto você deseja que eles compreendam as suas.

Coloque-se no lugar deles, e trate-os como você gostaria de ser tratado se ocupasse a posição deles.

Seu empregado é um irmão seu, que está iniciando a sua carreira.

Ajude-o o mais que puder e não se arrependerá.

VOCÊ já reparou que é um herói?

O trabalho diário, as conduções difíceis, a luta constante, tudo isso forma de você um herói.

Então, não desanime, porque os heróis superam as dificuldades com alegria.

Jamais se irrite!

Olhe para todos com bons olhos, procurando distribuir a coragem e alegria que habitam em você.

Você é um herói, comporte-se como um herói!

NÃO se esqueça de que somos o reflexo daquilo que pensamos.

O pensamento plasma nossa vida de amanhã.

Aproveite, portanto, o momento que passa, a fim de construir um amanhã risonho.

Plante em torno de você as sementes de otimismo e bondade, para que possa colher amanhã os frutos do amor e da felicidade.

Se somos escravos do ontem, somos donos de nosso amanhã.

NÃO duvide do poder da bondade, embora pareça que tudo está contra você.

Um coração com Deus representa maioria, contra toda uma multidão desvairada.

A bondade praticada em todos os momentos é uma sementeira que nos garantirá colheitas de felicidade e paz.

Só quem planta bondade encontra dentro de si força de viver com Deus.

Use, então, sem restrições, a bondade de seu coração.

NEM tudo o que nos aborrece e faz sofrer é, forçosamente, um mal.

Quando os irmãos de José o venderam, o que parecia um mal tornou-se maravilhoso bem, pois lhe deram oportunidade de chegar a ser governador do Egito.

Tenha confiança no Pai, que sabe extrair o bem daquilo que nos parece um mal.

Não se desespere.

Confie e siga em frente!

VIVA com simplicidade.

Por que complicar as coisas?

Você acabará atrapalhando sua própria vida, porque as complicações nos atrasam.

Seja simples e eficaz.

A simplicidade olha a natureza sem colocar óculos.

Quando puder resolver as coisas sem complicá-las, faça-o em seu próprio benefício.

Busque na simplicidade a solução de todos os seus problemas.

MANTENHA seu equilíbrio.

O equilíbrio depende da serenidade da mente.

Jamais se aborreça nem se exalte.

Não ligue importância às coisas passageiras que lhe vêm de fora.

Não se impressione com o que os outros dizem.

Siga a conduta ditada por sua consciência, e não perca seu equilíbrio.

Caminhe para a frente, alegre e certo de que há de vencer, por maiores que sejam as dificuldades do caminho.

ASSIM como os universos foram criados pela palavra de Deus, assim também nossos pequenos mundos individuais são criados pelas nossas palavras.

E as palavras são a manifestação dos pensamentos, a fim de criar um mundo de paz e beleza, de saúde e felicidade, através de palavras amáveis e delicadas, corteses e animadoras.

Lembre-se de que, uma vez proferida uma palavra, nada mais a destrói.

165

O homem não pode viver isolado.

Lembre-se de que cada companheiro de jornada é um amigo que o ajuda e a quem você precisa também ajudar.

A cooperação existe entre todas as coisas criadas.

Procure você também cooperar com tudo e com todos, em benefício da própria Terra que o acolhe bondosamente, permitindo sua evolução.

Ajude sempre, e jamais desanime.

NÃO sinta medo, para não atrair críticas.

Se tem certa maneira de comportar-se que sabe que está certa, mas os outros julgam errada, não tenha medo.

Se tiver, atrairá uma onda de críticas e maledicências.

Se não tiver medo, ninguém terá coragem de falar de você.

O medo irradia forças negativas, que atraem críticas.

Se você não teme, paralisa a crítica nos outros, que se sentem tolhidos e dominados por sua força mental positiva.

167

NÃO se deixe levar pela zanga nem se impaciente.

Não permita que a inveja, a malícia, a ideia de vingança e o ressentimento encontrem lugar em *sua mente*.

Essas emoções criam distúrbios no consciente e agem negativamente sobre seu corpo e seus tecidos, prejudicando a saúde.

Cultive a paciência, a tolerância, o perdão e o amor para com todas as criaturas.

NÃO se desespere diante das dificuldades.

Colhemos aquilo que plantamos.

Somos escravos do ontem, mas somos donos de nosso amanhã.

Se construiu um presente doloroso, fique alerta, para construir um futuro alegre, saudável, no qual possamos colher os frutos do amor e da felicidade sem limites.

Faça o bem de todas as formas, para preparar um futuro melhor.

O amor é uma doação e não uma exigência.

Quem realmente ama, dá tudo e nada pede.

Quem pede e exige da pessoa que diz amar demonstra que verdadeiramente não ama: ao contrário, revela o egoísmo em alto grau.

Amar não é receber, é dar.

Não é pedir, mas proporcionar felicidade desinteressadamente.

O melhor exemplo do amor verdadeiro é o das mães, que sabem amar com renúncia.

NÃO repita apressadamente aquilo que ouve.

Informe-se primeiro da verdade.

Se for mentira, procure desmentir.

Se for verdade, mesmo assim não o repita.

Se não puder chegar à evidência, cale.

A caridade consiste em saber calar os defeitos alheios, como você gosta que façam com os seus.

Seja prudente: o silêncio é de ouro, quando se cala o erro do próximo.

QUEM é corajoso não foge da batalha da vida.

Todos temos nossas lutas, mas só quem sabe suportá-las pode ser classificado de herói, de Homem em toda a extensão do termo.

Saiba merecer o título de Homem, saiba ser herói, não desanime diante das dificuldades.

Enfrente a vida, tal qual se apresenta, com suas alegrias e dores, e jamais pense em fugir covardemente.

VOCÊ, que é pai, é a criatura mais feliz sobre a face da terra.

Levante os braços aos céus e agradeça a Deus a misericórdia que lhe concedeu.

Mas lembre-se de que não basta dar aos filhos o sustento e a instrução.

Algo existe mais importante que tudo isso: é o exemplo.

Dê a seus filhos o exemplo do trabalho, da honestidade, da dignidade em toda a sua vida.

173

SE você enveredou na senda da política, saiba que não foi por acaso.

Deus colocou em suas mãos o destino de sua pátria.

Desperte sua consciência íntima, para assumir essa tremenda responsabilidade.

Muito lhe foi dado e, por isso, muito lhe será pedido.

Não deixe que a vaidade e os interesses pessoais o desviem da missão que o trouxe ao mundo.

Conduza a pátria à felicidade e à paz.

PARA que discutir?

Repare que, muitas vezes, um pequenino gesto, uma simples ação de benefício equivalem a milhares de palavras, que o vento leva.

A quem você quiser convencer de suas ideias, dê o exemplo vivo de suas ações.

Um exemplo vale mais do que muitos discursos.

Que adiante pregar aos outros se você não pratica?

Dê o exemplo de suas ações, e conquistará a todos para suas ideias.

SEJA alegre e otimista: Deus está dentro de você.

Não faça como os tolos, que pensam que Deus está muito longe, sentado num trono de ouro.

Nada disso.

Não o procure nas nuvens ou nas estrelas, tão alto que não o possa atingir.

Ele está dentro de você, e lhe fala silenciosamente, pela voz de sua consciência.

Procure descobri-lo, vivendo com pureza de coração e amando a todos como a si mesmo.

CONVENÇA-SE de que o mundo não é um parque de recreio: é um ambiente de trabalho!

Não é um feriado que nos tenha sido dado para repousar, mas um curso de aprendizado intensivo.

Procure, pois, aprender o máximo, aplicando à sua vida o maior mandamento: ame a todos indistintamente, e verá a felicidade morar dentro de seu coração.

Viva dando um exemplo vivo de amor em todas as suas ações.

FAÇA questão de ser alegre e otimista.

Nada na terra pode destruir a felicidade do homem otimista e alegre.

Se lhe chegarem dores, recebа-as com calma e não se deixe atingir por elas.

Não coloque sua felicidade no que lhe vem de fora.

Construa sua felicidade dentro de você mesmo, fazendo consistir sua ventura no progresso constante da vida do espírito, na sabedoria do coração.

NÃO se deixe abater pela tristeza. Todas as dores terminam. Aguarde que o Tempo, com suas mãos cheias de bálsamo, traga o alívio.

A ação do Tempo é infalível, e nos guia suavemente pelo caminho certo, aliviando nossas dores, assim como a brisa leve abranda o calor do verão.

Mais depressa do que supõe, você terá a resposta, na consolação de que necessita.

SEJA humilde.

A vaidade é o pior dos defeitos, porque engana a nós mesmos.

Por mais que seja sábio, há sempre alguém mais sábio que você.

Por mais forte que seja, haverá alguém mais forte.

Portanto, seja humilde.

Envaidecer-se de quê?

A vaidade nos faz perder o sentido das proporções, e acabamos caindo no ridículo, porque nos enganamos a nós mesmos.

"SE alguém diz que ama a Deus, mas não ama a seu semelhante, é mentiroso."

Isto foi escrito pelo Apóstolo São João, e expressa uma grande verdade.

Deus está dentro de todas as criaturas.

Então, se temos raiva de alguém, isto atinge o próprio Deus que nele habita.

Demonstraremos nosso amor a Deus, que não vemos, sabendo amar as criaturas que vemos e que vivem em torno de nós.

NÃO perca seu equilíbrio interno.

Por maior que seja a tempestade que o envolve, não perca seu equilíbrio.

Todas as tempestades passam.

E se soubermos recebê-las com serenidade, nenhum mal nos causarão.

Jesus dormia no fundo da barca...

Quando os discípulos o chamaram, nervosos, ele acalmou tudo.

Faça o mesmo.

Recorra ao Mestre Divino, para que as tempestades se acalmem a seu lado.

NÃO se deixe levar pelo extremismo.

Nem exagere para mais, nem para menos.

Saiba permanecer no meio-termo.

Se correr demais, cansará.

Se ficar muito parado, acabará consumindo o terreno debaixo dos próprios pés, e dentro de pouco estará pisando uma cova.

Não pare, mas também não queira correr demais.

Caminhe firme e com segurança, sem pressa, mas não se detenha jamais na senda do progresso.

ESQUEÇA-SE um pouco de si mesmo e pense nos outros.

Nestas poucas palavras está encerrado o maior segredo da felicidade.

Quando nos preocupamos demasiado com nossas pessoas, nossos problemas crescem desmesuradamente.

Mas quando esquecemos de nós um pouco para cuidar dos outros, esquecemos nossos problemas que se vão resolvendo por si mesmos.

Então, esqueça-se de si mesmo, e pense nos outros, e achará a felicidade.

TODOS nós somos iguais perante o Pai, que habita dentro de cada um de nós.

Vivendo o Pai em nosso íntimo, pouca importância dá ao nosso exterior, se somos brancos ou negros, pobres ou ricos, desta ou daquela religião.

Diante de Deus não contam as diferenças externas: só o interior importa: se somos bons ou maus, generosos ou avarentos, amorosos ou egoístas.

Pense nestas verdades!

185

JÁ pensou em agradecer a Deus pelo ar que respira, desde que nasceu, sem que jamais lhe tenha faltado?

O ar está sempre à sua disposição, de graça.

Agradeça ao Pai também a água que o dessedenta, o sol que ilumina seu dia, dando-lhe oportunidade de trabalhar, a noite que lhe proporciona o repouso, a saúde, a alegria, os amigos...

O agradecimento é uma obrigação que jamais devemos esquecer.

186

NÃO tenha medo!

Medo de quê?

Nossa vida é eterna, nosso eu, que é nossa alma, não morre nunca.

A vida continua eternamente.

Procure sentir Deus palpitando dentro de si, na vida que pulsa em seu coração, nos pensamentos que povoam seu cérebro.

Não tenha medo, porque Deus está permanentemente dentro de você.

Siga seu caminho confiante e sereno, e descobrirá Deus em tudo.

SAIBA viver eternamente, buscando estudar e aprender coisas úteis e proveitosas a você e ao próximo.

Quando paramos de aprender e de progredir, começamos a morrer realmente.

Aprenda o mais que puder, em todos os ramos do saber, para iluminar ao máximo o seu espírito.

Aproveite todos os seus minutos, para aprender, para aumentar seus conhecimentos.

NÃO confunda cultura com sabedoria.

A cultura vem de fora para dentro, penetra pelos olhos e ouvidos e pode fixar-se ou não em nosso cérebro.

A sabedoria, ao contrário, nasce de dentro de nós, e se exterioriza; surge no coração e só pode ser adquirida por meio da meditação.

Até os analfabetos podem conquistar a sabedoria, se souberem meditar em seus corações sobre as grandes verdades.

189

DESPERTE para a vida.

Medite em suas responsabilidades perante a humanidade e perante Deus.

De você dependem criaturas que o cercam, na família, no trabalho, na sociedade.

Não fuja à responsabilidade que você assumiu: realize seu trabalho com amor, produzindo o melhor que puder, e o máximo que suas forças o permitirem.

Em suas mãos está uma parte do futuro da humanidade.

VOCÊ não tem inimigos externos!

Inimigos nossos são os pensamentos errôneos que todos nós temos, e que lançamos ao ar, atraindo pensamentos semelhantes no próximo.

Na realidade, ninguém pode ser inimigo nosso, pois Deus habita dentro de cada um de nós.

Anule as inimizades emitindo pensamentos de tolerância e de amor a todas as criaturas, que são templos de Deus.

SEJA alegre e otimista.

Não perca tempo em olhar para trás, para ver o que já fez.

Olhe para a frente e caminhe confiante e alegre, praticando o bem e ajudando a todos.

Dê a mão a cada criatura que se lhe aproxima, diga sempre uma palavra de conforto e carinho, tenha para todos um sorriso de bondade, e a verdadeira felicidade passará a constituir seu clima permanente de vida.

PROCURE anular a parte inferior, para desenvolver a parte superior de seu ser.

Os antigos chamavam "centauros" àquele misto de homens na parte superior e cavalos na parte inferior do corpo.

Não seja assim.

Procure tornar-se totalmente homem, vencendo e dominando a parte inferior e animal de seu ser, para que apareça e sobressaia, apenas, a parte superior, inteligente e nobre.

QUANTAS vezes queremos ser bons e amáveis, e vemos destruídos nossos propósitos de virtude.

Mas ser bom com quem é bom não é vantagem.

O heroísmo consiste, justamente, em ser bom com quem é mau.

Em permanecer calmo diante das pessoas irritantes.

Em ser generoso com as pessoas egoístas.

Procure chegar a esse ponto e demonstre, com o exemplo, que você sabe ser bom.

O mal não merece comentários, pois só traz resultados desagradáveis.

Qualquer palavra produz vibrações, que atraem as vibrações semelhantes.

Portanto, o comentário sobre o mal atrai vibrações pesadas e nocivas.

Fale apenas a respeito de coisas belas e boas, comente o bem e as ações nobres, e permanecerá envolvido por uma onda de paz, de alegria, de bem-estar.

195

JAMAIS engane os outros, para não ser enganado.

Seja sempre verdadeiro.

Não minta, para que sua consciência permaneça tranquila e seu sono seja calmo.

Fuja do remorso e não prepare para si mesmo um futuro doloroso, pois nada torna uma pessoa tão infeliz quanto o sentir que ninguém mais confia nela.

Seja sempre verdadeiro e há de angariar muitos amigos leais e sinceros.

VOCÊ que tem a felicidade de ver seus netinhos, tão lindos, repare que eles têm os olhos fixos em você, tomando-o como exemplo e modelo do que diz e faz.

Conte a eles histórias bonitas, de fundo moral, e desperte em suas alminhas o amor à virtude e ao trabalho.

Mas, sobretudo, saiba dar-lhes a maior lição que terão em sua vida: seu próprio exemplo de trabalho e honradez.

APRENDA a amar a todos, indistintamente, para conseguir encontrar a luz que tanto anseia.

Procure não distinguir o sábio do ignorante, o rico do pobre, quando se trata de ajudar.

Saiba levar aos tristes a consolação, aos que lutam, o incentivo da compreensão e do carinho.

A quanta gente você pode ajudar com sua palavra, incentivar com um pensamento!

Ame a todos, indistintamente.

CERQUE sua vida com o doce sentimento do amor.

Não tenha prevenção contra seus semelhantes.

Se alguém não o compreender, se alguém o ferir ou magoar, procure retribuir com maior compreensão, com atenções redobradas.

Só o amor é capaz de vencer as barreiras da separação, de aproximar as criaturas, de solidificar amizades.

Então, cerque sua vida com o doce sentimento do amor.

DESPERTE para as verdades superiores.

Não se iluda com as conquistas fáceis, com os prazeres transitórios, com as sensações efêmeras.

Busque intensamente as coisas sólidas e duradouras, e para isso espalhe em redor de você alegria e otimismo, bondade e amor, que são as bases firmes e eternas da felicidade que jamais termina.

Só o amor constrói para a eternidade.

A morte não existe.

Se você perdeu um ente querido, não se desespere: tenha a certeza de que ele não morreu.

Apenas mudou de estado e, mais cedo ou mais tarde, você o irá novamente encontrar.

Não dê a ele, pois, a decepção de querer fugir da luta.

Não pretenda ser superior a Deus: aceite o que Deus determinou em Sua sabedoria, e será imensamente feliz.

OBSERVE o que se passa na vida: quando você necessita de alimento, é só você que pode comer.

Ninguém pode fazê-lo por você.

Assim, também, ninguém poderá curá-lo.

Você é a única pessoa capaz de curar-se, de fazer seu corpo revigorar-se e libertar-se das enfermidades.

Emita pensamentos positivos de saúde e expulse de seu organismo todas as moléstias.

A riqueza não depende do dinheiro que você haja acumulado.

Quem tem riquezas e não sabe ajudar o próximo é pobre.

Quem guarda com avareza os dons que recebeu de Deus é pobre.

Quem não sabe dar de si mesmo uma palavra de conforto, um sorriso de encorajamento, é pobre.

Mas aquele que, mesmo pouco ou nada tendo, sabe doar-se em ajuda ao próximo, esse é rico, imensamente rico!

MANTENHA seu bom humor em todas as circunstâncias.

E procure manter vivo o bom humor de todos os que o cercam na vida.

A alegria é um medicamento divino.

A tristeza, ao contrário, nos mergulha num oceano de lama, que salpica e suja aos que de nós se aproximam.

Mesmo entre sofrimentos e dores, busque ser alegre, porque a alegria é o melhor remédio para nos dar felicidade.

ESTEJA certo de que a felicidade de sua vida não pode vir de fora.

Você só poderá encontrar a felicidade quando souber fazê-la nascer dentro de seu coração, quando aprender a ajudar a todos indistintamente, com suas ações, suas palavras e seus pensamentos.

Pense positivamente, desculpando a todos, e sentirá a maior felicidade de sua vida na alegria de viver bem.

AJUDE a todos, sem fazer exigências: quem estabelece condições para ajudar, escreveu o Marquês de Maricá, está reclamando pagamento, antes mesmo de emprestar o dinheiro.

Não exija condições: ajude sempre com desprendimento, e não exija agradecimento nem gratidão.

Não se esqueça de que quem ajuda ao próximo está, na realidade, ajudando a si mesmo.

"FAÇA aos outros o que gosta que os outros façam a você."

O grande filósofo que proferiu este ensinamento, Jesus, sabia o que estava dizendo.

Se desprezar, será desprezado.

Se criticar, será criticado.

Mas se distribuir bondade, compreensão e amor, receberá em troca amor, compreensão e bondade.

Cada um recebe de acordo com o que dá.

Faça aos outros o que quer que façam a você.

SE você ainda é estudante, aproveite o tempo ao máximo.

Pense nos esforços de seus pais, em mantê-lo no colégio.

Se você não estudar, está malbaratando o dinheiro de seus pais.

Aproveite o período escolar para aprender, e não apenas para passar de ano.

Forme uma base de conhecimentos sólidos, que lhe garantam a vitória na vida.

ESTAMOS vivendo no século da luz: não se deixe arrastar por ilusões, embora bem intencionadas!

Raciocine imparcialmente, e nada aceite sem entender.

Se não compreende alguma coisa, não a rejeite.

Procure aprofundá-la pelo estudo.

Não se conforme com a pior das escravidões, que é a escravidão mental.

Nascemos para ser livres, e só o seremos quando raciocinarmos livremente.

NOSSA mente é um aparelho de rádio, que transmite nossos pensamentos e recebe os alheios.

Mas só receberemos os pensamentos que quisermos.

Depende de nós fixarmos nossa mente numa faixa elevada de vibrações de bondade e amor, para que só sejamos atingidos por pensamentos idênticos.

Desta maneira, nenhum pensamento de maldade e de enfermidade nos poderá atingir.

PROCURE viver com equilíbrio, mesmo dentro da agitação da vida diária.

Não se deixe levar pela onda desordenada que envolve a todos.

Pode trabalhar muito, ter atividades grandes, mas nunca deixe de fazer tudo a tempo e a hora, equilibradamente.

Reserve uma hora para sua leitura, para sua meditação, para sua higiene mental, a fim de manter-se constantemente em equilíbrio.

NÃO pretenda que todos pensem como você.

Cada pessoa está num grau diferente de evolução, num degrau diverso da grande subida.

Ninguém possui a verdade total, porque a Verdade Absoluta e total é Deus, o Infinito.

Nenhum ser finito pode conter o Infinito.

Busque a Verdade para si mesmo, mas não obrigue ninguém a pensar como você, tanto quanto não gosta que os outros lhe controlem o pensamento.

NÃO se queixe de abandono.

Ninguém está abandonado pelo Pai.

Se notar que está só, que ninguém o procura, faça o inverso: procure você alguém que precise de sua ajuda.

Visite os lares pobres, as crianças necessitadas, os corações famintos de seu carinho.

Derrame seu coração afetuoso no seio daqueles que sofrem e jamais se sentirá abandonado.

MANTENHA-SE calmo e sereno em qualquer circunstância.

Quando qualquer aborrecimento o atingir, como primeiro remédio procure conter seu corpo físico: não fique passeando de um lado para outro, torcendo as mãos, esmurrando a mesa.

Não!

Sente-se e esforçe-se por ficar imóvel alguns minutos.

Verá como conseguirá grande parte de sua serenidade...

Mantenha-se calmo, o mais possível, e o problema se resolverá por si.

SAIBA compreender o que significa servir a Deus.

Deus, a Onipotência absoluta e Infinita, de nada precisa.

Entretanto, quer ser servido, mas indiretamente, através de suas manifestações, que são as criaturas, animadas ou inanimadas.

Todas as vezes que servimos a um semelhante, a um animal, a uma planta, estamos servindo a Deus, porque Deus se manifesta ao homem através do próprio homem.

215

NÃO fique triste!

Procure o conforto que o céu dá a todos aqueles que se conformam e aceitam as dores com resignação.

Se aquela criatura que você ama acima de tudo, mais do que a você mesmo, foi ingrata com você, não fique triste: peça que o Pai a ajude e que ela se torne cada vez mais feliz...

Entregue ao Pai Todo-Compreensivo aqueles a quem você ama, e ame-os você também.

EXPULSE de seu espírito todas as lembranças tristes.

Será que remoer os erros vai conseguir sarar o mal que já houve?

Não!

Quanto mais revolver em seu coração as tristezas do passado, mais vai sofrer, sem resultado nenhum.

Dirija sua mente às recordações alegres, aos momentos felizes, aos fatos agradáveis do passado.

Acenda a luz, para que as trevas desapareçam.

APROVEITE ao máximo os momentos de alegria, para agradecer tudo o que tem recebido da bondade divina.

Seja grato ao Criador e Pai que lhe dá tantos ensejos de felicidade, e procure espalhar a maior alegria, o mais sadio otimismo com todos os que o cercam.

A alegria é a saúde da alma, e o otimismo é a alegria de amanhã, bem aproveitada no dia de hoje.

Espalhe alegria em torno de si.

VIVA sua vida interior com mais intensidade, porque Deus está permanentemente dentro de você, apesar de suas imperfeições e defeitos.

O Pai habita em todas as coisas criadas, chamando todas as criaturas para o caminho da justiça, da virtude, do amor.

Ninguém pode destruir esta verdade: Deus está dentro de você.

Saiba descobri-lo e terá conquistado a felicidade.

LOGO que o sol despontar no horizonte, saúde-o com um pensamento de louvor ao Pai e Criador, levantando-se também e iniciando seu trabalho.

Mantenha firme em sua mente o desejo de ajudar a todos e de cumprir com perfeição todas as suas obrigações.

E, assim, poderá deitar-se, ao finalizar o dia, com a consciência feliz, por haver cumprido seu dever.

ENQUANTO você espera pelo céu, não se esqueça de que a terra está esperando por você.

Mantenha seus pés fixos no chão, mas eleve sua cabeça para o céu.

Ajude a estrada que você palmilha, tornando-a mais confortável para todos aqueles que lhe seguem os passos.

Dê trabalho a seus braços, leve consolo aos aflitos, enxugue as lágrimas dos que choram...

Você não poderá caminhar sozinho.

Ajude a todos os que caminham a seu lado para o mesmo objetivo: a perfeição.

PROCURE corrigir com calma aqueles que erram, e saiba relevar as imperfeições dos outros, da mesma forma que espera a compreensão dos outros para os seus erros.

A vida é um intercâmbio de boa vontade mútua, em que recebemos aquilo que damos.

Dê tolerância, e receberá compreensão e amor, tornando-se sua vida um paraíso sem dores nem sofrimentos.

SE você não sabe perdoar sem esquecer, é sinal de que não compreendeu ainda a Verdade e o Caminho a seguir.

Procure perdoar e esquecer as mágoas e ofensas, as intrigas e calúnias.

Mantenha-se em tal atitude, que nenhuma calúnia o possa atingir.

Perdoe e siga seu caminho.

Quando o caluniador abrir os olhos, você estará tão distante dele, que não poderá mais ouvir sua voz cheia de veneno.

LEMBRE-SE de que o amor ao próximo é o segredo de nossa felicidade.

Não fale mal de ninguém, não tenha raiva, não cultive ódios em seu coração.

A irritação e o ódio são venenos que atacam o fígado e descontrolam o sistema nervoso.

Aprenda a relevar e esquecer, para ter seu coração em paz e não sofrer em sua saúde.

A serenidade é o segredo das vidas longas e felizes.

CULTIVE a Verdade em todos os momentos de sua vida, e a Verdade o levará triunfalmente ao progresso.

Seja verdadeiro em todos os pensamentos, ações e emoções, e nada lhe ocorrerá de mal.

Deixe que a Divindade se manifeste por seu intermédio, e procure ouvir a voz silenciosa que lhe fala do fundo de seu coração, por meio de sua consciência.

Obedeça aos conselhos que ela lhe der!

225

NUNCA se irrite!

Se a condução custa a chegar, tenha paciência.

Se o vizinho o incomoda, suporte-o.

Sua irritação não pode melhorar as coisas e... faz mal a seu fígado.

A irritação causa mais sofrimentos a nós que aos outros, ao passo que a paciência é um bálsamo, sempre pronto a suavizar as feridas próprias e alheias.

FAÇA da leitura um hábito diário.

Acostume-se a ter sempre um bom livro à mão, e verificará que é seu melhor amigo, que conversará com você somente quando você o desejar.

Escolha livros instrutivos, interessantes, sadios.

Tanto quanto o corpo, o espírito também necessita de alimentar-se.

Faça da leitura um hábito tão indispensável quanto a respiração.

SAIBA dominar-se e vencer-se a si mesmo.

Vitorioso não é aquele que vence os outros, mas o que se vence a si mesmo, dominando seus vícios e superando seus defeitos.

A vitória sobre si mesmo é muito mais difícil, e quem consegue isto pode ser classificado como verdadeiro herói.

Aprenda a dominar-se, e jamais desanime.

Se desta vez não conseguiu, recomece e um dia sairá vitorioso!

NÃO se aborreça com seu amigo, só porque ele está mal humorado.

Saiba desculpar.

Quantas vezes também você está irritado, e responde mal a seus amigos... e no entanto gosta que eles o desculpem.

Você não sabe o que lhe aconteceu, desconhece seus problemas íntimos... desculpe, então!

Não leve a mal, releve, e continue a querer-lhe bem.

É a melhor maneira de mostrar sua amizade e compreensão.

AJUDE a todos os que estão enfermos.

Amanhã talvez deseje que alguém o visite em sua enfermidade.

Procure os doentes solitários, que aspiram por uma palavra de conforto e de carinho.

Não apenas seus parentes e amigos, mas até os pobres conhecidos e abandonados, que não encontram um sorriso de incentivo, e que estão famintos de solidariedade humana e de amor.

NÃO se queixe contra a vida.

Se está sofrendo, lembre-se de que ninguém passa por esta terra isento de dores, da mesma forma que um aluno não pode fazer o seu curso sem submeter-se aos exames de fim de ano.

Prove que está preparado, suportando com paciência e resignação os exames a que é submetido.

Tudo o que nos acontece tem sua razão de ser, e dos males surge sempre um bem.

NÃO deixe de manifestar gratidão aos membros de sua família, aos amigos e conhecidos.

Não é, porém, da gratidão comum, que consiste em dizer "muito obrigado", que estamos falando.

É de gratidão continuada, demonstrada em nosso exemplo, pelo fato de eles nos cercarem com seu afeto e contribuírem para nosso aperfeiçoamento, com sua ajuda e até com suas incompreensões.

DOMINE sua agitação!

Só as criaturas calmas podem ser totalmente eficientes.

A agitação cansa e produz tudo mal feito.

A pressa é inimiga da perfeição.

A calma é o segredo daqueles que realizam tudo bem feito.

Quanto mais trabalho, maior deve ser nossa calma.

Domine sua agitação, permaneça sereno, e tudo lhe sairá bem.

CONTRIBUA, com sua parcela, para tornar mais belo este mundo.

Um pequenino gesto, uma ação insignificante, podem melhorar muito o ambiente em que nos encontramos, elevar o entusiasmo de quem está desanimado, reanimar aquele que está desiludido.

Um simples aperto de mão confiante faz renascer, por vezes, a coragem de quem estava por fraquejar.

Então! Contribua com algo de seu, para tornar mais belo este mundo!

"QUEM alimenta o ódio atira fogo ao próprio coração", escreveu André Luís.

Se alguém o magoou, se o ofendeu com calúnias, não o imite, repetindo os mesmos erros.

Coloque-se acima dele, sabendo relevar.

E procure esquecer, porque o pensamento negativo da raiva atrai, para nós, a onda de maldade que nosso infeliz adversário lança contra nós.

Para ser feliz, saiba relevar e esquecer.

NÃO existem pessoas realmente más.

Ou são enfermas ou não têm conhecimento da grande lei de que recebemos exatamente aquilo que damos.

Quem é enfermo precisa ser curado.

Quem pratica o mal precisa ser elucidado.

Mas de modo algum podemos agir com ódio e maldade.

Procure ensinar aos outros pelo seu próprio exemplo, compreendendo que a maldade é uma situação transitória do homem.

NÃO seja impaciente!

Não tenha pressa em chegar ao fim.

Deixe que o tempo amadureça os frutos, de modo que possa colhê-los amadurecidos.

Caminhe com segurança e constância, porque tudo nos chegará na hora exata e mais oportuna.

Os frutos amadurecidos à força não são tão saborosos quanto os que amadurecem naturalmente.

Saiba esperar com paciência e não desanime.

237

SE você quiser encontrar paz e alegria neste mundo, espalhe em torno de si otimismo e bondade.

Não se deixe ficar inativo na comodidade que nada produz.

É pelo trabalho em benefício do próximo que armazenamos energias, a fim de vencer os embates da vida.

Não pare jamais, não perca as oportunidades que se apresentam diariamente de fazer o bem, para que o bem venha abundante sobre você.

238

SEJA perseverante nas boas obras.

Nada conseguiremos na vida sem perseverança.

Para aprender piano, há necessidade de horas seguidas de estudo diário.

O que é o estudo para o pianista, é a perseverança para qualquer outra atividade.

Não se deixe arrastar pelo esmorecimento.

Reaja com todas as forças que encontrar em seu coração, e terá a beleza da vida em redor de si mesmo.

A vida é um canto eterno de beleza!

Os homens complicam a vida e dificultam a existência, porque se acreditam diferentes uns dos outros.

Mas a vida é uma só e os homens todos são irmãos.

Portanto, não antagonize os outros.

Distribua amor e compreensão a todos os que se chegam a você.

Faça como o sol, que se dá a todos igualmente, em raios benéficos de luz e de calor.

NÃO ponha limites à sua vida!

Procure ouvir as notas harmoniosas e sublimes do canto maravilhoso que se evola de natureza.

Viva sorridente e alegre, para espantar as preocupações, para aliviar as lutas.

Mergulhe sua alma na alma da natureza: absorva a luz do sol, goze a suavidade da lua, contemple o esplendor das estrelas, aspire o perfume das flores.

A vida é bela, apesar das dores e dos contratempos.

SE está desempregado, não se desespere, não amaldiçoe a sorte.

Enfrente as dificuldades corajosamente.

Não pense em abandonar a vida.

Não seja covarde!

Você pode vencer!

Você vai vencer!

Não recuse trabalho pelo fato der ser modesto.

O grande Ford começou a vida como simples mecânico.

Tenha coragem, porque o Pai não abandona ninguém.

O pensamento e a palavra têm poder curador.

O corpo é o veículo através do qual se manifestam, no plano terrestre, o espírito e a alma, da qual o corpo é apenas o reflexo materializado.

Por isso, espelha aquilo que pensamos, na saúde e na enfermidade, porque recebemos de acordo com os nossos pensamentos, e somos aquilo que pensamos.

Pense sempre certo para ter saúde perfeita!

NÃO se deixe derrotar em situação alguma.

A derrota depende de nós, tanto quanto a vitória.

Entretanto, a pior derrota é a de quem desanima.

Perder, nem sempre é ser derrotado.

Mas o desânimo estraga totalmente a vida.

Não desanime jamais.

Siga em frente corajosamente, porque a vitória sorri somente àqueles que não param no meio da estrada.

DEUS está em toda parte ao mesmo tempo e, portanto, está também dentro de você, em redor de você, vendo o que você faz, sabendo até o que você pensa.

Se você sofre é porque a dor lhe trará benefícios futuros, e não por "vontade" de Deus.

Você deixa seu filho sofrer na cadeira do dentista, porque este beneficia seu filho, mesmo fazendo que ele sofra.

Deus age também assim conosco.

MANTENHA sua mente limpa de qualquer pensamento menos digno.

Só assim conservará a serenidade e a paz, como base da felicidade que chegará a você.

O corpo é o reflexo da mente.

E a mente é o reflexo de nossa alma, que é o nosso verdadeiro eu.

Pense coisas nobres e elevadas, e seu corpo manterá inalterável a saúde, trazendo-lhe a felicidade que tanto almeja.

SEJA sempre nobre em sua expressão de trabalho, se quiser atrair para si a nobreza dos companheiros de luta.

Demonstre sempre, inicialmente, a sua própria nobreza, para que os outros se mirem no seu exemplo e o imitem.

Seja bem-educado, antes de exigir que os outros o sejam.

A força do exemplo é a mais convincente e eficaz que existe no mundo.

Vale mais um exemplo que milhares de palavras.

Dê você, em primeiro lugar, o bom exemplo em sua conduta.

SE a sombra dos dias tristes perturbar a subida, volte seu pensamento para Deus, que está dentro de cada um de nós.

A vitória nos chega por meio das lutas que travamos dentro de nós mesmos.

Se as quedas magoam o corpo, servem para libertar o coração.

E, depois de vencer, espalharemos o amor em redor de todos nós, porque pelo amor conseguimos vencer a nós mesmos.

MANTENHA em sua vida uma unidade de plano, para conseguir seus objetivos.

Veja um colar de pérolas: estão todas presas por um fio.

Se este arrebentar, as pérolas se espalham.

O que é o fio para o colar de pérolas, é a unidade de plano em nossa vida.

Não deixe que as pérolas de suas ações se percam, por lhes faltar o fio que lhes mantém a unidade.

NÃO seja cruel!

Aprenda a ter compaixão daqueles que estão em pior situação que você.

Lembre-se daquela máxima do maior dos filósofos: "felizes os misericordiosos, porque eles alcançarão misericórdia".

Seja compassivo com os que erram, porque você não sabe quando poderá cometer erro semelhante, e gostará que o compreendam e lhe relevem.

Releve também e seja misericordioso com quem erra!

250

LEIA mais!

Aproveite seu tempo.

Não deixe que a ociosidade alimente pensamentos negativos, porque estará perdendo um tempo precioso que não voltará mais.

Leia mais!

A boa leitura alimenta o cérebro e controla as emoções.

O livro é um amigo discreto que não se impõe a ninguém, e só fala conosco quando temos vontade de conversar com ele.

Leia mais, e faça do livro seu melhor amigo!

PROCURE pensar.

Não seja autômato!

Você faz parte da Humanidade, é uma peça importante da Humanidade, e por menor que seja sua cultura, você tem o dom de raciocinar.

Pense com sua própria cabeça, procure saber donde vem e para onde vai.

Não viva às cegas!

Seja você mesmo!

Só você pode descobrir o caminho que lhe convém.

252

NÃO se exalte, não se irrite, não discuta...

A mansidão e a serenidade conquistam os corações e representam a felicidade.

Ninguém resiste a uma pessoa calma e serena, e esta pode resistir a todos.

Não há força que derrube a mansidão, e nada é empecilho para ela.

Os mansos e serenos conseguem tudo o que desejam na terra, com a vantagem de jamais estragarem sua saúde tão preciosa.

NÃO se envergonhe de ser humilde.

A humildade consiste no conhecimento perfeito daquilo que somos e que podemos, sem fantasiar-nos com qualidades que não temos.

Humildade não é posição de corpo nem tom de voz: é posição de espírito, que sabe o que é e o que pode, e não precisa manifestar-se aos outros: vale para si mesmo.

Seja, pois, humilde!

SEJA tolerante com o próximo que erra.

Quando erramos, queremos que os outros nos desculpem.

Então, desculpe e procure ensinar-lhe, dando o seu exemplo.

Não critique, porque a crítica destrói.

Se você um *exemplo vivo* e desculpe os erros alheios, porque não há pessoas más: há enfermos e ignorantes da lei, que não sabem que volta para nós, tudo o que fazemos aos outros, de mal ou de bem, de crítica ou de tolerância.

APRENDA a dirigir palavras de louvor a tudo o que é belo e bom.

Não retenha seus sentimentos de gratidão e louve tudo o que contribui para a beleza e o bem-estar da humanidade.

Não se cale diante do que é belo!

Dê expansão ao louvor que provém de seu íntimo, em favor de pessoas e coisas.

A gratidão traz alegria à vida!

Cultive a virtude do louvor espontâneo e sincero e você aumentará o número de seus amigos.

FAÇA tudo com amor!

Tudo o que é feito sem amor sai mal feito, e tende à destruição.

Só o amor constrói obras eternas e penetra profundamente o coração da humanidade, porque só o amor é positivo.

Tudo o que não é amor é negativo.

Faça tudo com amor, porque o próprio Deus é amor.

Quando as criaturas fizerem tudo com amor, saberão o que é a saúde e a felicidade.

MANTENHA sempre no mesmo nível sua coragem para o bem.

Não falamos da coragem de palavras, que é fácil.

Contar vantagens, todos contam...

Mas a coragem da luta contra seus próprios vícios é que tem valor, porque daí surgirá a vitória final.

Seja constante e persistente, caminhe reto para a frente e para o alto, e mantenha firme sua coragem na ação de cada dia em busca do ideal.

SEJA na terra a pequenina chama que ilumina as trevas em que jazem milhares de criaturas.

Seja a água benéfica que dessedenta todos aqueles que atravessam o deserto da existência, sequiosos de carinho e amor.

Seja o alimento dos que nos procuram, famintos de compreensão e de incentivo.

Procure *servir e amar*, para ter a alegria de haver passado na terra distribuindo benefícios a todas as criaturas.

EVITE o álcool.

Se pode ser remédio, quando usado em pequenas doses, traz malefícios incalculáveis, se nos leva ao abuso.

Pare enquanto é tempo.

Construa em sua mente a sua própria imagem livre de beber, e repita muitas vezes ao dia, seguidamente: *nada me vencerá!*

Sou forte e vencerei todos os meus vícios!

Não diga: "não quero mais beber"!

Diga antes: *não gosto mais de bebida!*

SE alguém lhe mostrasse uma semente escura e feia, dizendo que dentro dela havia bela e perfumada flor, você acreditaria, porque sabe que da semente nasce a planta que produz a flor.

Pois bem, acredite também que, dentro de você, por mais imperfeito que seja, nascerá, purificada e bela, a sua alma imortal que alcançará a felicidade!

Tenha fé em si mesmo, e busque aperfeiçoar-se.

TENHA a certeza de que nenhum mal lhe pode acontecer, porque a Força Divina é sua proteção permanente.

O mal que lhe acontece talvez seja apenas uma experiência, pela qual você passa.

“Mas tudo coopera para o bem daqueles que amam a Deus”, mesmo as dores e sofrimentos, as doenças e perseguições.

Nenhum mal pode atingi-lo, a não ser aquele que você mesmo pratica.

ACENDA sua luz interior, a luz da sabedoria e da bondade,

Dedique alguns minutos de seu dia à meditação, porque o homem iluminado não encontra trevas em seu caminho.

Por onde passa, a luz se irradia de si mesmo, atingindo todos os que lhe estão perto.

Mergulhe em seu íntimo, e ouça a voz de sua consciência, que é a voz silenciosa de Deus falando dentro de você mesmo.

ONDE quer que encontre uma criança, derrame sobre ela todo o seu carinho, estenda-lhe a mão para ajudá-la a crescer.

Em cada criança, existe um dia novo que surge para a felicidade do mundo.

Em casa, na escola, num jardim, num hospital, jamais olhe com indiferença para uma criança: facilite ao máximo a estrada que ela vai percorrer e semeie de flores o caminho que ela palmilhar.

JAMAIS desanime!

Embora sua dor pareça insuportável e sem remédio, ela há de terminar, e a alegria voltará a brilhar em seu coração.

Não há noite eterna à qual não suceda a luz de um dia radiante.

Dos sofrimentos passados, conservamos apenas uma lembrança quase apagada.

Assim acontecerá amanhã com os sofrimentos de hoje.

Entregue tudo ao Tempo, que, com sua mão compassiva, balsamizará todas as suas dores.

265

PROCURE cultivar a verdade, em relação aos outros, e também em relação a você mesmo.

Só a verdade nos fará chegar à perfeição, porque ela nos faz conhecer o que real e verdadeiramente somos.

E só chegaremos a ser perfeitos quando nos conhecermos, a fim de podermos corrigir-nos de nossos defeitos e lançar-nos à conquista das virtudes que nos faltam.

266

ENQUANTO dispuser de tempo, nesta Terra, dirija seus passos pela senda do bem.

Procure agir, fazer sempre alguma coisa em benefício de alguém, embora seja apenas uma palavra de conforto, um gesto de carinho, um sorriso de incentivo.

Faça alguma coisa em favor do próximo, e terá o coração cheio de alegria e de felicidade.

DEUS está dentro de você!

Mas está também dentro de todas as demais criaturas que você encontra.

Mesmo naqueles que não agem com acerto, está habitando permanentemente a Divindade, que dos erros das criaturas humanas faz nascer o bem e o progresso.

Não julgue, pois, apressadamente, pois aquilo que lhe parece ser um erro pode ser o início de um resultado maravilhoso.

TENHA dinamismo em sua vida!

Não fique aí parado, de braços cruzados.

Não são as ideias bonitas que valem.

São as ações práticas!

Os pés que não caminham criam raízes.

A vida é luta!

Não espere que os necessitados o venham procurar: vá visitá-los em seus tugúrios.

Leve uma palavra de conforto, um sorriso de compreensão, um pensamento de ternura.

CULTIVE a alegria em dose máxima.

Alegria, porém, não é barulho: é um estado de alma de quem sente em si a plenitude da vida.

A alegria provém de dentro de nós mesmos, da consciência tranquila, do cumprimento exato de nossos deveres, e vibra em nós apesar de todos os sofrimentos, calúnias e injustiças.

Seja alegre sempre e, quando a tristeza quiser encobrir o sol de sua vida, entoe um cântico de louvor ao Pai, e a luz brilhará novamente em você.

MANTENHA aceso seu ideal de felicidade.

Trabalhe visando ao bem próprio e ao bem da humanidade.

Mas não tenha apenas a preocupação de acumular riquezas, que os vermes destroem e a ferrugem consome.

Acumule riquezas duradouras, constituídas dos benefícios que presta a seus irmãos, porque amanhã você receberá de todos a alegria da vitória, auxiliada por você.

A alegria do bem que se realiza é o maior tesouro que podemos obter.

PROCURE ser humilde em todas as circunstâncias.

Humildade não é dizer "sim" a tudo e a todos.

Nem é apregoar que somos humildes.

Não é agachar-se mentalmente a tudo o que os outros dizem.

Não!

Humildade é saber exatamente o que somos e o que valemos.

E conhecer-nos a nós mesmos, procurando corrigir sinceramente nossos defeitos, e não nos querendo impor aos outros.

Quem é humilde, em geral, não sabe que o é.

Mas quem não é humilde é que pensa que é!

272

TENHA firmeza em suas atitudes e persistência em seu ideal.

Mas seja paciente, não pretendendo que tudo lhe chegue de imediato.

Há tempo para tudo.

E tudo o que é seu virá às suas nãos, no momento oportuno.

Saiba esperar o momento exato em que receberá os benefícios que pleiteia.

Aguarde com paciência que os frutos amadureçam para que possa apreciar devidamente sua doçura.

273

PROCURE amar a tudo e a todos indistintamente.

O amor é uma doação perene de luz e de felicidade, sem buscar retribuições e compensações.

Em todas as criaturas está Deus, que habita dentro de cada um de nós.

Ame a Deus, amando a seu próximo tanto quanto a si mesmo.

Distribua compreensão e paz, para que a felicidade possa morar definitivamente em seu coração.

ALGUNS são mais lentos, outros mais rápidos na caminhada.

Não queira exigir dos outros aquilo que nem sempre você mesmo consegue fazer.

Tenha compreensão pelos erros do próximo, e aguarde que possam escalar aos poucos a montanha íngreme da virtude.

Ninguém pode tornar-se santo da noite para o dia.

Tenha paciência com os companheiros de sua jornada na *terra*.

MANTENHA-SE calmo e sereno.

Confie na Força Cósmica que enche todo o universo, inclusive sua própria pessoa.

Focalize sua confiança em Deus que habita dentro de você e dentro de todas as criaturas.

Liberte-se do medo, caminhe com segurança e procure ouvir as palavras de orientação, ditadas, no mais profundo de seu coração, por Deus que habita dentro de você.

EVITE acusar e criticar.

Procure, antes, colaborar, sobretudo *com seu exemplo* digno e nobre.

Tudo tem razão de ser na vida, embora nem sempre saibamos compreender, porque não temos uma visão completa, já que só podemos ver a superfície das pessoas e coisas.

Deixe o julgamento Àquele que vê os corações e que está dentro de cada um de nós, lendo os mais secretos pensamentos e intenções.

A vida é alegria, quando espalhamos apenas otimismo e amor em redor de nós.

Busque sempre ajudar e servir, derramando felicidade em torno de você, e a alegria voltará para você mesmo.

Procure viver integrado na Energia Cósmica, que se dá igualmente a todos, e você verá que sua vida se transformará num ato de puro amor e num paraíso de felicidades sem limites.

SEJA o que você deseja ser.

Não dê importância ao que os outros dizem.

Você é filho de Deus, e como tal tem o direito à sua liberdade.

Não desanime diante dos impedimentos e das dores.

Fique certo de que você, unicamente você, terá de dar contas de seus atos...

Portanto, busque dentro de si mesmo a luz divina, e seja exatamente o que você deseja ser: subindo sempre.

PROCURE viver mais sua vida interior.

A agitação da vida não deve atingir nosso eu verdadeiro, nossa alma.

Não deve fazer esquecer a coisa mais importante.

A Centelha Divina é que é nosso eu real, do qual nosso corpo é apenas um reflexo.

Portanto, procure viver mais intensamente sua vida interior, a vida de seu eu verdadeiro, de sua alma.

NÃO permaneça preso ao passado nem a recordações tristes.

Não remexa uma ferida que está cicatrizada.

Não revolva dores e sofrimentos antigos.

O que passou, passou!

Deste momento em diante, procure construir uma vida nova, na direção do alto, caminhando para a frente, sem olhar para trás.

Faça como o sol que se ergue a cada novo dia, sem lembrar-se da noite que passou.

POR que tem medo de que a riqueza não chegue para você?

A riqueza pertence a todos, no universo.

Se existem pessoas mais prósperas que outras, não pense que se trata de injustiça ou desequilíbrio da Lei.

Se eles conseguiram essa abundância, você também poderá obtê-la.

Não procure enriquecer tirando dos outros: busque-a na Energia Cósmica, no universo, que dá a todos oportunidades de acordo com as capacidades de cada um.

UM corpo saudável reflete atitudes corretas e perfeitas da mente.

Alimente seu cérebro com pensamentos saudáveis, para que seu corpo possa refletir saúde.

Equilibre seus pensamentos num clima de bondade e compreensão, para que seus órgãos funcionem com regularidade.

Mantenha viva a sensação da presença de Deus dentro de você, para que seu corpo irradie otimismo e amor.

TRABALHO é sinônimo de nobreza.

Não desdenhe o trabalho que lhe coube realizar na vida.

O trabalho enobrece aquele que o faz com entusiasmo e amor.

Não existem trabalhos humildes.

Só se distinguem por serem bem ou mal realizados.

Dê valor ao seu trabalho, fazendo-o com todo amor e carinho, e estará desta maneira dando valor a si mesmo.

CONTROLE o tom de sua voz!

Já verificou como é desagradável quando alguém se dirige a você em tom áspero?

Pois faça aos outros o que gosta que os outros façam a você.

Mesmo quando repreender, faça-o com voz calma e educada, como gostaria que o repreendessem quando você erra.

Lembre-se de que, em geral, somos odiados ou amados, de acordo com o tom de voz que empregamos.

CADA dia, nova etapa de trabalho é iniciada!

Lembre-se de agradecer ao Pai o ensejo do repouso que lhe concedeu, e prepare-se para executar as tarefas, de que está encarregado, com alegria e boa vontade.

Agradeça, também, o trabalho que proporciona o pão de cada dia, e procure executá-lo da melhor forma de que for capaz.

O trabalho bem executado traz-nos a alegria do dever cumprido.

ESPALHE por todos a alegria que vive dentro de você.

Seja sua alegria contagiante e viva, a fim de expulsar a tristeza de todos os que o cercam.

A alegria é uma tocha de luz que deve permanecer sempre acesa, iluminando todos os nossos atos e servindo de guia aos que se chegam a nós.

Se em você houver luz e você deixar abertas as janelas de sua alma, por meio de alegria, todos os que passarem pela estrada em trevas serão iluminados por sua luz.

287

FAÇA diariamente, ao despertar, afirmações positivas de alegria e de vitória, procurando construir em torno de si um ambiente de serenidade e de harmonia.

Aprenda a sorrir de coração para todos: parentes, amigos, conhecidos, de tal forma que baste a sua presença, para que a alegria penetre no coração das criaturas que lhe chegam perto.

E verifique a felicidade que isto lhe causará.

NÃO acumule em seu coração desejos de vingança, detritos do mal.

Jogue-os fora, relevando e esquecendo o que lhe fizeram de mal, em palavras, atos e maledicências, calúnias e injustiças.

Esqueça!

Uma única pessoa lucrará com o seu perdão: você mesmo, que libertará seu coração do peso da mágoa e do ódio.

Seja inteligente: perdoe e esqueça, para ser feliz.

Do mesmo autor

SUGESTÕES OPORTUNAS

Não deixem de ler e reler *Sugestões Oportunas* do consagrado autor Carlos Torres Pastorino. É uma continuação dos *Minutos de Sabedoria.* Ambos nasceram da mesma fonte e apresentam igual limpidez e irretocável beleza, sendo um firme guia para a Sabedoria. Não deixe de procurá-lo em nossas filiais ou pedi-lo pelo reembolso postal. Ele é um tesouro que o ajudará a viver melhor e ser mais feliz.

ESCOLA DE SABEDORIA

Trata-se de uma Associação que oficialmente foi fundada em Brasília no dia 10 de fevereiro de 1974 e sua pedra fundamental foi lançada em 24 de maio de 1975. Foi fundada pelo Prof. Carlos Torres Pastorino e pela sua companheira Elza Soares Pereira, além de outros. Sua finalidade é o estudo e a pesquisa de qualquer doutrina filosófica, religiosa, científica, espiritualista relacionados com a evolução do Ser Humano e do nosso meio ambiente.

As pessoas que quiserem colaborar, desinteressadamente, podem enviar suas doações para o Banco Itaú, na conta da "Escola de Sabedoria", Agência 0919, C/C 12120-2, Lago Sul, Brasília. Também podem ser feitas doações em livros nas áreas de filosofia, línguas, religiões, ciência, tecnologia, música, informática, espeleologia, astronomia e outros, em qualquer idioma.

Endereço:

MSPW – Quadra 3 – Conjunto 3 – Lote 5
71700-030 Brasília, DF – Brasil